JN214608

令丈ヒロ子・作　トミイマサコ・絵

妖怪コンビニ

店長はイケメンねこ！

あすなろ書房

もくじ

梅の花もようのねこ

「おっはよー！」

日曜日の朝、アサギはママにあいさつした。

「おはよう、アサギ！」

夜勤から帰ってきて、シャワーをあびたばかりのママは、ねむそうだったけど、それでもかなり明るくあいさつした。

朝は元気よく、あいさつ！　これが日向家のルールだ。

などと言うと日向家が、ルールにきっちりした家のようだけど、そうでもない。

アサギとママの新生活——約二週間前から始まった——には、あんまり多くの決まりはない。

実際、シャワーや寝る時間は好きなタイミングでいいし、ご飯にしても、それぞれが仕事先（自転車で通える距離の病院の眼科）と学校（歩いて十二分の小学校）から帰ってきたらテキトーになにか食べるっていう、基本、自分の都合でやる感じになっている。

なんでそうなったかというと、ママが夜勤や遅番の仕事をするようになったので、今までみたいに決まった時間に家にママがいられないからというのが一つ。もう一つは、ママは「生まれてから一回も料理を楽しいと思ったことがない。料理は苦行」という人だから。

アサギは正直、箱のルーを使ったカレー以外、ママの料理がおいしいと思ったことがない。でも、それはしかたない。どんなにがんばっても速く走れない人や、泳ぐのが苦手な人がいるのと同じだ。アサギだって、算数を今まで一回も楽しいと思ったことがないし、朝、昼、晩と毎日三回、算数をしなくちゃいけないって言われたら、想像しただけでぞーっとする。

おばあちゃんは、だれでもがんばったらおいしいものが作れるんだから、やる気がないんだ、とママをよく怒っていた。パパもおばあちゃんと同じ考えだった。

それが気の毒だったので、アサギはママと二人で引っ越したのを機に、もう無理して料理しなくていいよとママに言った。冷凍食品とか売ってるおかずで十分おいしいし、正直なところその方が安心できる味だし、ぜひそうしてほしかったのだ。

とはいうものの、あまりにも前の生活――パパとおばあちゃんとママとアサギの、めっちゃピリつく暮らし――に比べて、ゆるすぎで気楽すぎなのが、ほんのちょっとまずい気がした。だから日向家二人のせめてものルールとして、その日、一回目に顔を合わせたときはおたがいに「おはよう！」って、明るく言うと決めたのだ。

いや、ちがった。日向家は二人じゃなくて、もう一名いた。

ねこのうめ也だ。

「おはよー！　うめ也」

アサギはうめ也にあいさつした。ダイニングの角のところに座っていたうめ也は、きりっとした顔つきで、短く「にゃっ！」と鳴いた。

「うめ也は朝からイケメンだねえ」

アサギは、きっちり前足をそろえて座っている、うめ也の頭をなでた。

真っ白だけど、おでこに淡い灰色の点々が五つある。それが花開いた梅の花びらみたいなのだ。そして顔つき（特に目元）がきりりとしていて、今人気の、よくテレビに出ている歌舞伎役者さんに似ている。だから、「うめ也」って、歌舞伎調の名前にした。

「もー、いつ見てもシュッとしてるう。うめ也見ると、癒される……」

ママも、うめ也を見ながらうっとりと言った。

うめ也とアサギとママは、このマンションに引っ越してきたその日に出会った。

たたんだ段ボール箱を、一階のガレージ横のゴミ置き場に運びに降りたら、うめ也が——そのときはまだ名前はつけてなかったけど——小雨の中、道に座ってこっちを見ていたのだ。

昼間は夏みたいに暑かったというのに、雨が降ったせいか、夜の空気は冷たかった。

それで、「ここ、ぬれるし冷えるよ。ウチに来る？」とアサギたちが聞いたらふつうに三階の部屋までついてきて、出ていこうとしなかった。

ペットを飼ってもいいかと、マンションの大家さんにたずねたら、「そのねこならいいよ」と許可が出たので、そのままいっしょに暮らしているのだ。

「ここの大家さんが、ねこ好きな人で、本当によかったよね」

「そうだよねー。このマンションでラッキーだったわ。ふわあ」

ママは大あくびした後、自分の部屋――まだぜんぜん片づいていない、玄関のわきの部屋――にひとねむりしに行った。段ボール箱に囲まれていると、よくねむれるそうだ。

「さー、てー、っと！」

アサギは朝ごはんで食べた、パンの空袋を捨てて、とびらを開けたままの自分の部屋――ダイニングのとなりの部屋――をちらっと見た。ベッドの横に開けてない段ボール箱が二個、残っている。

「……片づけなくちゃ」

いちおう口に出したけど、あんまりやる気は出ない。

(まあ、大事なものはみんな出したし、あの箱はとうぶん開けなくても、大丈夫だよね)

「よしっ、コンビニ探査の旅に出るぞっ！」

先週の日曜日は、することが多くて、近所のコンビニをじっくりは見て回れなかった。

ここ、千鳥マンションはかなり古くて、エレベーターもついてない。階段も郵便受けもきれいじゃないし、外壁にはカラースプレーで描かれたヘンな落書きがある。

ガレージに、車は入ってない。大家さんのでっかい植木のはちがたくさんと、なぜか籐の長いすがどんと真ん中にある。その後ろに古い雑誌や本が並んだ本棚があり、そのほかにもごちゃごちゃといろんなものが置いてある、カオスな空間だ。

でも、そのごちゃごちゃな感じを、ママもアサギも気に入った。

そして一番気に入ったのが、コンビニが、付近に三軒もあることなのだ！

アサギが今、夢中なのは「コンビニクッキング」。コンビニの食材を使ってかんたんな料理をすることだ。ママのタブレットでよくクッキング動画を見ている。

動画を参考に作った「シチューパン」――パンを丸くくりぬき、そこにレトルトのシチューを入れ、粉チーズを振ってオーブントースターで焼いた――は、大成功だった。カワイイ器に盛ったら、カフェのご飯みたいだと、ママも大喜びだった。

（今日はママも家にいるし、一回、スイーツタワー……してみたいなあ）

アイスクリームやプリンやカットしたケーキなんかを、お皿にタワーのように高く盛ったものが、「スイーツタワー」。お祭りっぽいのが楽しい、アサギあこがれのスイーツだ。

（予算があるからなあ。タワーまではいかなくても、ちょい盛りぐらいはできるかな？

とにかく、コンビニのスイーツを見て回ろう）

　さいふとケータイをねこ柄のエコバッグに入れて、アサギは部屋を出た。

「お買い物？」

　ガレージで、観葉植物の葉を布でふいてピカピカにしていた大家さんが、声をかけてきた。

「あ、はい。近くのコンビニに……」

「いつもお母さんのお手伝いをして、えらいわねえ」

（いや、コンビニめぐりはお手伝いじゃないんだけどな……）

　そう思いながらも、

「はーい！　行ってきまーす」

　アサギは元気に大家さんに手を振って、コンビニに向かった。

（うん、やっぱり最初に行った、ナインマートが一番、スイーツが充実してたなあ。プチシューの大袋は安くてボリュームあったし。アイスクリームも、ピスタチオ味のがあったのはあそこだけだった。よし、ナインマートにもどって買い物だ！）

三軒目のコンビニを出たアサギは、千鳥マンション方向に歩きだした。

（えーっと、曲がるとこ、ここだったっけ）

住宅街の曲がり角で、立ちどまったとき。

しゅっと、白いねこが道を駆けていくのが見えた。

「あれ？」

（今の子……うめ也に似てなかった？）

思わず、ねこの後を追いかけた。

たたたっと軽やかに走る後ろ姿、白くてつやのあるりっぱなしっぽは、どう見てもうめ也のものだ。

（うめ也、ドアを開けたすきに、部屋から出ちゃったのかな？）

うめ也は、路地に飛びこんだ。アサギも続いて路地に入った。

そしてうめ也の後について、せまい路地をぬけ、広めの道に飛び出した。

（あれ？　コンビニ？）

いきなり目の前に、コンビニが現れた。深い青色地の看板に「ツキヨコンビニ」と白い字が浮かびあがって見える。

（こんな場所にコンビニ？　マップに、のってたかな？　それにあんな名前のコンビニ、聞いたことないんだけど）

するとうめ也の前で、コンビニの自動ドアが開いた。

うめ也は、家に帰ってきたみたいに、すっと店の中に入った。

「うめ也、ちょっと待ってよ！　ねこが入っちゃダメだって」

アサギはあわてて、うめ也の背中に手を伸ばした。その指がうめ也の体に届いた瞬間。

「わ」

つんのめったアサギは、うめ也を両手でつかんで、ズザッと店の入り口に倒れこんだ。

「いたた……」

床に倒れたアサギは、うめ也を抱きかかえた。

「うめ也、ごめん、大丈夫だった？」

言いながら体を起こそうとした、そのときだった。

うめ也の体が、アサギの腕の中でむくむくっとふくれあがった。

うめ也ってねこ又店長?!

「あ、れ？」

（うめ也、大きくなった？）

ふわふわの白い毛皮はそのままだけど、体つきはがっしりとしている。そしてアサギを包みこむほど大きい。

アサギはしばらく目を見開いたまま、じっとしていた。

「……アサギ、はなしてくれよ」

頭の上から男の人の、低い、いい声がした。

アサギは、ぱっと腕を開いて、抱いていたものから体をはなした。

「大丈夫？　ケガしてない？」

その言葉と共に、アサギの前に白いものが伸びてきた。ねこの前足だ。でも、なにかへンだ。太くて大きすぎる。ライオンみたいな足なのだ。

顔を上げると、ねこが立っていた。二本足で。それに背が高くて、引きしまったボディに青色のエプロンをしている。

明るい緑の目で、きりっとはね上がった目尻、すっきりと高い鼻、ひたいには梅の花のもよう。そしてエプロンには名札。「店長うめ也」と書いてあった。

「う、う、うめ也あ！」

アサギは悲鳴をあげて立ち上がった。

「ど、どうしたの？　なんで立ってるの？　なんで話せるの？　なんでエプロン？」

止まらない質問を、うめ也が白桃色の肉球をこちらに見せて、押しとどめた。

「アサギ、ちょっと落ち着こうか。氷くん、こちら、ぼくの飼い主の日向アサギさんだ。イートインコーナーに案内して、座ってもらって」

うめ也が言うと、「はい、店長！」という元気な返事が、カウンターの向こうから聞こえて、灰色の顔の男の子がぴょんと飛び出してきた。

その子はうめ也と同じ色のエプロンをつけていて、顔だけでなく、首もシャツのそでから出ている腕も、枯れ枝みたいにカサカサしていた。その子のエプロンにも名札がついていて「氷・ハッピーなゾンビです！」とあった。

「え、ゾンビ、なの？」

思わずたずねたアサギを氷くんは、カウンターの横手の奥、自動ドアそばの白いテーブルといすが並んでいる場所に案内した。

「そうです！　ここ、ツキヨコンビニは、人外専門のコンビニですから、従業員も妖怪とか、ぼくみたいに、死んだままよみがえっちゃったヤツとかです」

「待って、待って。人外専門コンビニ？　なにそれ？」

「生きてる人間以外の者のためのコンビニ店です。うめ也店長だって、妖怪ねこ又ですよ！」

「ねこ又?!」

氷くんが入り口の方を指さした。

振り返ると、アサギが倒れこんだためにずれた玄関マットを、うめ也はきちんと敷きなおしていた。その腰からは、ふさふさのしっぽ。それが二叉に分かれていた。

目を見開いて、それぞれ別の方向にゆれる二本のしっぽに見入っていると、

「飼い主さん……妖怪とは知らずにうめ也店長を飼ってたんですか？」

氷くんが、目をぐりんとむいて聞いてきた。

「う、うん。うめ也と出会ったのは、わりと最近だし……。ふつうの、イケメンねこだと思って飼ってた……。ここだって、うめ也が入るの、たまたま見かけて……」

「あ、そうか。今日は店長、珍しく表玄関から来たからなあ。よくここに入れましたね。この場所はふつうの生者さんには見えないんですけどねえ」

氷くんが首をかしげたとたん、ゴキッとおかしな方向に顔がかたむいた。

「あ、いけない。ぼく骨が崩れやすいんですよ」

氷くんは、両手で自分の頭を支え、パキパキと正しい位置に直した。

（……）

アサギは、見てはいけないような気がして、氷くんの頭から目をそらして上を向いた。

すると天井の角っこが、真っ黒い三角形になっているのに気がついた。

（なんであそこだけ黒く塗ってあるんだろ。……あれ？）

伸びあがってよく見ると、天井の角が、外側へ三角形にめくれあがっていた。そして三角に開いた穴の上は、夜空だった。白く冴えた三日月が、見えている。

（え、月？　今、午前中だよね。え、なんで？）

すると三日月をさえぎって、ぬっと大きな目が現れた。いちごみたいに真っ赤な色だ。

「ひえっ！」

アサギが声を上げると、びく、と瞳がゆれて、少し遠ざかった。すると濃いピンクの鼻の頭と、笑っているような口元、もふもふしたピンクの長い耳が見えた。

ものすごく大きなピンクのうさぎが、店を上からのぞいてるのだと、気がつくまで少し時間がかかった。

「あ、玉兎さん。こんにちは！」

氷くんが、元気に天井の上のうさぎにあいさつした。

「こんにちは。そちらはどなた？　特別なお客さまかしら？」

玉兎さんと呼ばれたうさぎが聞いてきた。しっとりした、大人の女の人の声だ。

「はい。うめ也店長の飼い主さんの日向アサギさんです」

「そうでしたか。わたしはツキヨコンビニ社長の秘書の玉兎と言います。お店のようすを社長に報告する役目があるものだから。おどろかせてごめんなさいね」

「……いえ、もう、大丈夫です」

アサギは、息を整え、そう答えた。

すでに、おどろきの限界はとっくに超えている。

「玉兎さん。いらしてたんですね」

うめ也も足早にやってきた。

「アサギさん、せっかくご来店なんですから、ゆっくりしていってくださいね。うめ也店長、なにかアサギさんにごちそうしてさしあげて」

玉兎さんの言葉に、アサギはぱっと気持ちが明るくなった。

(そうか！　人外専門て言っても、ここコンビニなんだもの。おいしいものがあるかも！)

「え、アサギにここの食べ物を？　いいんですか？」

「ええ。人間にあまり影響がない食べ物もあるでしょう。ではね」

すいっと玉兎さんの姿が消えて、星と月の輝く夜空がまた見えた。

「アサギ、なにか食べる？　ごちそうするよ。……まあ、ここにいても落ち着かないだろうけど。すぐにウチに帰る？」

うめ也が聞いてきた。

「ううん。ごちそうになる」

アサギは、きっぱりと答えた。

「せっかく、こんな珍しいコンビニに来られたんだもの。この店のものを食べてみなくちゃ」

「アサギは食いしんぼうだなあ」

うめ也が、口の片端をちょっと上げて、くすりと笑った。

「食いしんぼうじゃないよ！　コンビニクッキングにハマってるんだって！　今だって三軒コンビニを回って、使えそうな材料、チェックしてたんだから」

「はいはい、わかったよ。からあげ、食べる？」

「食べる！　からあげ、大好き！」

「じゃ、座って待ってて」

言われたとおりいすに座ろうとしたら、ぐらっとつんのめった。ぐんにゃりしたやわらかいかたまりが床にいて、足を取られたのだ。

「あっ」

するとそのかたまりから、イカの足みたいなものがいくつも伸びあがり、かたむいたアサギの体を支え、ゆっくりと立てなおしてくれた。

「大丈夫！　バイトのもちこちゃんだよ」

うめ也が言った。

「スライム型の妖怪で店内清掃が得意なんだ」

「そ、そうなんだ」

もちこちゃんは、伸ばした触手でいすを引き、アサギにすすめてくれた。

「……ありがとう」

お礼を言うと、触手はスライム本体の中に溶けて消え、丸くてつぶらな目がパチパチと

店長
うめ也

まばたきするのが見えた。小さな口がにこっと笑った。

（あっ、顔、かわいい）

もちこちゃんは、「ごゆっくりどうぞ」というしぐさをして、キュルルッと床をはって進んでいった。もちこちゃんが行った後の床はピカピカになっていた。

「……ほんとだ。そうじがうまいんだね」

「だろ。よく働いてくれるいい子なんだよね。まあ、つい背景と同じ色に同化しちゃうクセがあるから、どこにいるのかわからなくなるのが困りものなんだけど……おっと、からあげだったね。ちょっと待って」

うめ也はカウンターの、ホットミールのケースを開けた。

最高にイエローな妖怪スイーツ

うめ也が、ケースからチキンのからあげの入った紙袋を取り出そうとしたとき、自動ドアが開いた。

「いらっしゃいませ」

うめ也は入り口に向きなおって言った。氷くんも、わずかに遅れたけど、あいさつした。

現れたのは、大きな一本のバナナだった。大人の男の人ぐらいの背の黄色い体に、すんなりした色白の手足がついている。目や鼻や口は見当たらない。

（バナナの妖怪?!　こ、こんな妖怪も、いるんだ！）

「ばなにーさん、いらっしゃいませ」

うめ也がにこやかに言った。

「今日はなにか新しい、イエローなもの、入ってる？」

常連らしく、ばなにーさんはカウンターに軽く手を置いて、うめ也にたずねた。

「今日のイエローなものは、そうですね。カスタードプリン、チーズケーキ、玉子サンドにシュガーマーガリンパン、コーンスープ、チーズ類にカレーせんべい、だしまき玉子、刻みたくあん……、このあたりは定番ですからよくご存じですよね」

「う〜ん。バナナロールは？　バナナを丸ごと一本、スポンジケーキで巻いたやつ」

「申し訳ありません。バナナロールは、本日は入荷していないんです」

うめ也が申し訳なさそうに、言った。

「あ、新商品の栗カステラが入ってますよ！　これです。きれいな黄色ですよ！」

氷くんの言葉に、ばなにーさんがそれ、と指さした。

「いいね、一つもらおうか。あと、バナナ味の豆乳ね。ここで食べてくから」

ばなにーさんは、レジを通した栗カステラの袋と豆乳の小さいパックを手に、イートインコーナーにやってきた。そしてアサギの横の席に座ると、鼻歌を歌いながら豆乳の四角いパックにストローを刺した。

「……あのう」

ドキドキしながらも、アサギはがまんできなくて、つい声をかけてしまった。

「もしかして黄色い食べ物が、好きなんですか？」

「うん、そうだよ！　イエローなものが大好き。イエローって元気出るんだよね！」

つるんとしたバナナの皮におおわれて、表情は見えないけど、中から聞こえる声は明るい。気さくで楽しい性格のようだ。

「それだったら、あそこのお芋も、切ったら中身、めっちゃきれいな黄色だと思います」

アサギは、ホットミールのケースの横の、小型の保温ケースを指さした。「秋のお楽しみ！　ほくほく焼き芋」と書いたＰＯＰが貼ってある。

「あっ！」

「なるほど！」

「それは気がつかなかったなあ！」

ばなにーさん、うめ也、氷くんが同時に声を上げた。三人があまりにも感心してくれたので、アサギはうれしくなって、さらに思いついたことを言った。

「あと、もし、はちみつがあったら……」

すると、食品の棚の向こうから、もちこちゃんが触手を長く伸ばして、はちみつのボトルを、高くかかげて見せてくれた。

「その栗カステラにバニラアイスをのせて、カットした焼き芋をそえるの。そこにはちみつをちょっとたらしたら、とってもいい感じのイエローな秋スイーツになるんじゃないかなあ……なんて、思ったんですけど」

「……それ、いいじゃない！」

ばなにーさんが、立ち上がった。

「それ、やろう！　今すぐ、作って！　焼き芋とはちみつ、バニラアイスちょうだい！」

「はいい！」

返事した氷くんが、焼き芋を取り出している間に、もちこちゃんが触手ではちみつとアイスクリームをつかんで、すばやくレジにやってきた。

「……アサギ、こっちでそのスイーツの盛りつけ、教えてくれる？」

うめ也の言葉に、アサギはコクコクうなずいた。

うめ也といっしょにカウンターの奥のバックヤードに入った。

（うわあ、コンビニの奥ってこんなふうになってるんだ）

揚げ物用フライヤーがあるコンパクトなキッチン、その横には、ロッカーや机が置かれた、スタッフの控室が見える。

「あの部屋の奥は、なにがあるの？」

「商品の在庫置き場だよ。その向こうは非常口。それと、飲み物を冷蔵庫の裏側から補充する通路に続いてる」

「へえぇ」

「焼き芋はどんな形に切るの？　輪切りとか？」

まな板を手に、うめ也が聞いた。

「コンビニクッキングの動画で見た『お芋パフェ』は、焼き芋をスティック状に長細く切ってた。ひと口サイズに四角く切ったカステラの上に、アイスをのせて、そこにツノみたいに切ったお芋をななめに刺すといいと思う」

「なるほど」

うめ也は、長い爪でスタッときれいに焼き芋を切った。

アイスの上にはちみつをかけるのは、アサギがやった。ボトルから細くたらして、ペンで描いたように、きれいなもようにした。さらにひらめいて、焼き芋にほんの少し塩をふった。

スプーンとフォークをそえて持っていくと、ばなにーさんが、わああ！　と歓声を上げた。

「なんていいイエローなんだ！　はちみつの黄金色がすばらしい！　ああ、すてきだ！」

「アイスが溶けますから、すぐに召し上がってください」

うめ也がせかすので、アサギは注意した。

「こういうのは、アイスがちょっと溶けたぐらいの方が、おいしいんだよ」

「そ、そうなのか」

うめ也が、少したじろいだそのとき、ばなにーさんが、頭のてっぺんに手を伸ばし、べろんとバナナの皮を、むいた。

厚めの皮の下から、ほっそりしたきれいな顔と、黄色いペンダントをした首までが現れた。アサギは目を丸くして、息をのんだ。

「中身もバナナだと思った？」

真っ白な歯を見せて、ばなにーさんの中身はゆかいそうに笑った。すごい美人だった。

「この皮、スーツなんだよね。いただきます！」

（スーツ……）

アサギが返事できないでいると、ばなにーさんは、カステラとアイスと焼き芋をいっぺんにすくって、ほおばった。

「うまあああい！」

ばなにーさんが、足をバタバタさせて言った。

「ほんと？　おいしいですか？」

「うん、すごくうまいよ！　今までで最高のイエロースイーツだ！」

アサギはうれしくて、ほこらしくて、顔が熱くなった。動画で見たものをそのとおりに作ったことはあるけど、こんなふうに自分のひらめきで作ったのは初めてだ。それが、こんなに喜んでもらえるなんて！

「……おいしそうですねえ」

どこかから低くしわがれた声がして、声の方を見たアサギは、ぎょっとした。

いつのまにかイートインコーナーの壁に、張りついている者がいたのだ。スーツ姿の白髪のおじいさんだ。コウモリみたいな形のくすんだ灰色のつばさを広げている。

「土羅蔵さん。いらしてたんですか！　気がつかなくて、申し訳ありません」

うめ也が、その老人にあやまった。

「いや、わたしは気配がしないからね。気にしないでください」

土羅蔵さんがアサギたちの横に降り立つと、つばさはマントになり、ふわりと肩にかぶさった。

「その黄色づくしのデザート、いいじゃないですか。わたしも同じものをいただきたいな」

「え、土羅蔵さん、スイーツとか食べるんですか？」

氷くんがおどろいた顔で聞いた。

「いつもコーヒーしか召し上がらないんで……。意外だなあ」

それを聞いて、アサギも意外だった。

コウモリのようなつばさがあって、青白い肌、名前も「ドラクラ」ときたから、きっと吸血鬼ドラキュラの一族だと思ったのだ。

「あのう、土羅蔵さんは、血は……飲まないんですか？」

すると、土羅蔵さんは血と聞いただけで、顔をしかめた。

「生ぐさいものが苦手でしてね。それに生き物に噛みつくなんて、粗野で野蛮な食事は耐えられませんよ。今はコーヒーが主食みたいなものですが……。あなたの考えられた、そのスイーツはとてもいいですね。コーヒーに合いそうだ」

「芋とかはちみつとか、材料残ってるでしょ？　オレがおごるから、土羅蔵さんにも作ってあげてくんない？」

ばなにーさんが気前よくそう言った。恐縮した土羅蔵さんは二回断ったが、最後には、

「じゃあ、次回はわたしがばなにーさんにごちそうしますよ」

と約束して、二人で「イエローな秋スイーツ」を食べることになった。

「りょーかいです！　すぐに作ります！」

アサギが腕まくりしてそう返事した。

「アサギ、もう作り方はわかったから、いいよ。そこで休んでてよ」

うめ也が、バックヤードに駆けこもうとしたアサギを押しとどめた。

「アサギは、ここの従業員じゃないんだから、ゆっくりしててよ。ほら、からあげ食べてさ」

うめ也がケースから取り出したからあげの袋を、アサギの手に置いた。

ホカホカと温かく、ふわんとこうばしいチキンの香りに、急におなかがすいてきた。

「この茶色のトッピングパウダーをかけたら、さらにおいしいよ」

うめ也がホットミールケースの前に置いてある箱の中から、パウダーの小袋を一つ取って、アサギにわたしたとき、自動ドアが開いた。

「「いらっしゃいませ！」」

今度は、うめ也と氷くんが同時に言った。ごつごつした岩みたいなものが五つ、ゴロゴロと転がりながら店に入ってきた。

「トウロウ5さん、いらっしゃいませ！」

「おう！」「おう！」「おう！」「来たぜ！」「おでん煮えてる？」

岩たちは口々に言った。この妖怪も、常連客らしい。

「氷くん、トウロウ5さんを頼む。ぼくは土羅蔵さんのスイーツ用意するから」

うめ也はそう言うと、小走りでバックヤードに入っていった。

トリハダ・トッピングパウダーでアツアツ！

（うわ、なにこれ！　めっちゃ、おいしい！）

イートインコーナーで、うめ也にもらったからあげをほおばり、アサギは目をむいた。

（チキンもおいしいけど、このトッピングパウダーがすごい！　なんの風味かぜんぜんわからないのに、とんでもなくおいしいんだけど！）

一口ごとに、シアワセが口の中に広がるようだ。アサギはうっとりした。

パウダーを振りかける手が止まらず、茶色い小袋は、あっというまに空になった。

アサギとばなにーさんにはさまれた真ん中の席では、土羅蔵さんがちびちびと「イエローな秋スイーツ」を口に運んでいる。

ちょっとずつ口に運んでは、小声でなにか、ぶつぶつ言っている。

（……土羅蔵さんには、あまり、おいしくなかったのかな）

気になって、耳をそばだてると、

「……じつに焼き芋とはちみつが、いい香りだ。それにいろんな種類の舌ざわり、甘さの競演が楽しめる。焼き芋の塩味もいいアクセントだ……」

じっくり味わいながら、ていねいにほめてくれていた。

「あんた見かけない顔だけど、人間だろ？　この店の関係者？　うめ也店長と仲良さそうじゃん」

食べおわると同時に、バナナ皮のスーツをキュッと閉じて、ばなにーさんが、聞いてきた。

「わたし、うめ也の飼い主なんです」

「へええ。うめ也店長って人間の飼いねこだったのかあ！　それは、意外！」

「人間が妖怪を飼うなんて、あなた、それは剛毅なことですよ」

土羅蔵さんが、まじまじとアサギの顔を見つめた。

（ゴーキってなんだろ？）

言葉の意味はわからないけど、すごく感心されているんだとアサギは思うことにした。

うめ也と氷くんは、トウロウ5さんと呼ばれていた、岩石妖怪五人組の接客に追われていそがしそうだった。

（このトッピングパウダー、もっとほしいなあ。もっともらっちゃダメかなあ）

もちこちゃんは、どこに同化しているのか、いくら見回しても見つけられない。

（後で言えばいいよね。一個もらっちゃえ）

アサギはホットミールケースの前にそうっと歩いていった。

箱の中にきちんと並んでいる茶色の小袋に手を伸ばした。が、赤いのと黒いのがその横に並んでいるのを見て、気が変わった。

（ほかの味も、試してみよう！）

それで、赤と黒を一つずつもらって、イートインコーナーにもどった。

（まずは赤！　ピリッと辛いのかな？）

残ったからあげに、赤い小袋のパウダーを振りかけた。

「あっ、これもおいしい！」

アサギはつい、大きな声で言った。

「なに、これ、前のよりもおいしい。ああー、人間のコンビニのからあげもおいしいけど、こんなおいしいのはないよ……。うーん！」

目を閉じて、しみじみとアサギが言ったので、ばなにーさんが笑い声を上げた。

「そんなにうまい？」

「はい。もう、おいしすぎてじーんときてます。感動です！」

「アハハ。さすがうめ也店長の飼い主。ツキヨコンビニに、めっちゃなじんでるじゃん。前からの常連みたいだよ」

「わたしも、初めて来た感じしないです！　ばなにーさんも土羅蔵さんも、わたしの考えたコンビニクッキングのスイーツをすごく喜んで食べてくれて。最高にうれしかったし！」

「ほう……それが最高にうれしいということは……。もしやあなたのまわりの人間たちは、同じことをしても、あまり喜んでくれないのですか？」

土羅蔵さんが、ちょっと心配そうに聞いた。

「前の家では、コンビニクッキングどころか、コンビニに行くのもバレないようにしてたんですよ。あ、今は大丈夫なんです。でも、ウチ、いろいろあって、あんまりお金使えないんですよね。だから今日みたいに好きなだけ材料使ってスイーツのちょい盛り作る、なんてすっごいことなんです！　わたしの夢は、ですねえ、コンビニのものをバンバン買って、ものすっごいおいしい！　スイーツタワーを！　作ることなんです！」

「そうなんですか。人間も、いろいろなご事情があるんですねえ」

アサギの話に、土羅蔵さんがしんみりとうなずいた。

腕組みして聞いていた、ばなにーさんも言った。

「あのさ、またここに来て、みんなにイエローで最高なスイーツ、作ってよ！　材料ならいくらでも使っていいよ。オレ、それぐらいおごってあげられるし」

「そ、そんな！　そんなのダメですよ。でも、うれしいです」

アサギの目から、びゃっと涙がふきだした。

「みんな優しいし、このからあげも、おいしすぎるし。ああ、もうなにもかも最高すぎて、夢みたいだよー！　うわあーん！」

アサギがからあげを握ったまま、泣きだしたので、土羅蔵さんが「おや」と言った。

「うめ也店長。来てください。飼い主さんのごようすがヘンですよ」

そう言って、土羅蔵さんが、うめ也を手招きした。

駆けつけたうめ也は、テーブルに突っぷして泣きくずれているアサギを見て、ぎょうてんした。

「アサギ、どうしたの?! 気分悪いの?」

「悪くない! うれしくて、めちゃめちゃ感動してる……もうトリハダだよ……」

アサギがしゃくりあげながら、答えた。

「感動……トリハダって、あっ」

うめ也は空になった、赤のトッピングパウダーの袋を見つけた。

「トリハダ・トッピングパウダーの赤をかけたんだな! まずいぞ!」

アサギのひたいに手を当てて、うめ也は、叫んだ。

「もちこちゃん! アイスケースの中の保冷剤、全部持ってきて! 今すぐ全部!! 氷くんも来てくれ!」

もちこちゃんがすぐさま、うめ也の指示どおりに山盛りの保冷剤をたくさんの触手で抱えこんで、うめ也たちの足元にすべりこんできた。

「この子、どうしちゃったんだ?!」

ばなにーさんが、おどろいて立ち上がった。

岩石妖怪たちもゴロゴロと、氷くんといっしょに、ようすを見にやってきた。

「トリハダ・トッピングパウダーの赤は人間にはキツすぎます。なにを見ても聞いても、トリハダが立つほど感動しすぎて、アツアツになって引っくり返ります」

うめ也は、ありったけの保冷剤でアサギの頭を冷やしながら答えた。

「ああ、保冷剤じゃ足りないな。やっぱり氷くんも頼む。クールダウンさせてやってくれ」

「承知しました!」

氷くんは、自分のシャツのそでをまくると、腕をパキッと折った。

「アサギさん! これをぎゅーっと抱きしめてください! 一瞬でクールになります!」

そう言って、灰色の化石みたいなその腕を、アサギの胸に押しつけた。

(ひええ、つめたっ!)

熱にうかされたようになっていたアサギは、氷くんの腕を抱かされて、飛び上がった。

ビリビリとしびれるほど冷たかった。そして瞬時に、アツく高ぶっていた気持ちが、スンッと冷えて落ち着いた。

「あ、ありがとう」

正気にもどったアサギは、震えながら腕を氷くんに返した。

「食べたのが赤でまだよかったですよね。黒だったら、もう、大変だったですよ」

コキコキと関節を調節し、元どおりに腕を付けなおしながら氷くんが言った。

「黒だったらどうなってたの？」

「赤は、感動してトリハダになるんですけど、黒は恐怖でトリハダになるんです。なにを見ても自分がすごく恐れているものに見えて、もう、本当に怖いんですよー」

氷くんが、いかにも恐ろしそうに震えて見せた。

「えええ。こわっ」

アサギはいそいで黒の小袋を、氷くんに返した。

「なんでそんなヘンなもんをわざわざ置くの？」

ばなにーさんが、聞いた。

「……人間が言う『トリハダ』体験をしてみたいって言うお客さまの要望にお応えして、

人外用に開発された調味料なんです。刺激的でおもしろいとおっしゃるお客さまも多くて。……みなさま、お騒がせしまして、申し訳ございませんでした」

うめ也がお客たちに頭を下げた。

「ご、ごめんなさい……」

アサギも、みんなにあやまった。

「アサギ、もう帰るんだ。本当はここはアサギが来ていい場所じゃないからね」

「……今日は帰るけど、また来ちゃダメ？」

小声でうめ也にたずねた。

「ダメだ！　人間にとっては安全じゃない場所だ。今は平気でも、あとから、具合が悪くなるかもしれないし……」

「今度は、気をつけるから。勝手にものを食べたりしないし。ねええ」

するとばなにーさんが、見かねたように言った。

「うめ也店長、この子、本当に人外コンビニにいても元気そうだし、ヘンなもん食わないように、オレも気をつけてやるからさ。遊びに来るぐらい、いいんじゃないの？」

「いや、ツキヨコンビニの規定があります。迷いこんできた場合はしかたないですが、生者がお客として出入りするのは、認められてません」

きっぱりと、うめ也が言った。

「店長として、自分の飼い主だけは特別扱い、なんて、できませ……」

うめ也が言いおわらないうちに、その肩にひらりと一枚の紙が落ちてきた。

「うめ也店長、それ、『オーナーさま・ご優待券』じゃないですか？」

氷くんが紙を指さした。

「オーナーさまの優待券？　なぜこれが」

うめ也が天井を見上げると、三角にめくれたそのすき間からのぞいている、大きな瞳と目が合った。

「玉兎さん！」

「そちら、社長から、うめ也店長の飼い主さまに、です」

「え、社長から？　アサギに優待券を？　どうして……」

うめ也の質問を最後まで聞かず、玉兎さんはぴょんと夜空にはねて、行ってしまった。

「ねえ、『オーナーさま・ご優待券』ってなに？」

アサギは聞いた。

「この券を持ってきたら、オーナーさまと同じ扱いになるんだけど、なんで……」

「同じ扱いって、どんな？」

氷くんが、ぼうぜんとしているうめ也から券を取りあげ、裏面の説明書きを見ながら言った。

「好きなときに来て、好きなだけ買い物ができます。ただしこちらは一回券ですから、一回の来店に限り有効ですって」

「ええ？　そうなんだ！　それ、わたしがもらえるんだね！　もう一回、ここに来られるんだあ、やったあ！」

アサギはばんざいして、天井の月夜に向かって叫んだ。

「玉兎さん、ありがとう！　社長さん、ありがとう!!!」

「よかったな」

「よかったですねえ」

ばなにーさんと土羅蔵さんが言ってくれた。

「じゃあ、もう次はめちゃ豪華なスイーツをばなにーさんと土羅蔵さんに、ううん、ここにいる全員にごちそうしちゃうよ！」

アサギがにこにこ笑いながら、氷くんから優待券を受けとろうしたら、さっとうめ也が爪の先に引っかけて取りあげた。

「うめ也！　それ、わたしがもらったんだよ！」

「なにかのまちがいだったらいけない。この券を本当に使っていいのか、もう一度確認して、それからだ」

「今、玉兎さん、ハッキリ言ったじゃん！　『社長から、うめ也店長の飼い主さまに、です』って！　まちがいなんかじゃないよ！」

「だが、しかし、特別扱いしてもらう理由が……」

そこへ、今までだまってアサギたちを取りまいていた五人の岩石妖怪たちが、口々に言いだした。

「話は聞かせてもらってたけどよお」「うめ也店長」「おめえ、ちょっと頭がかてえぞ」

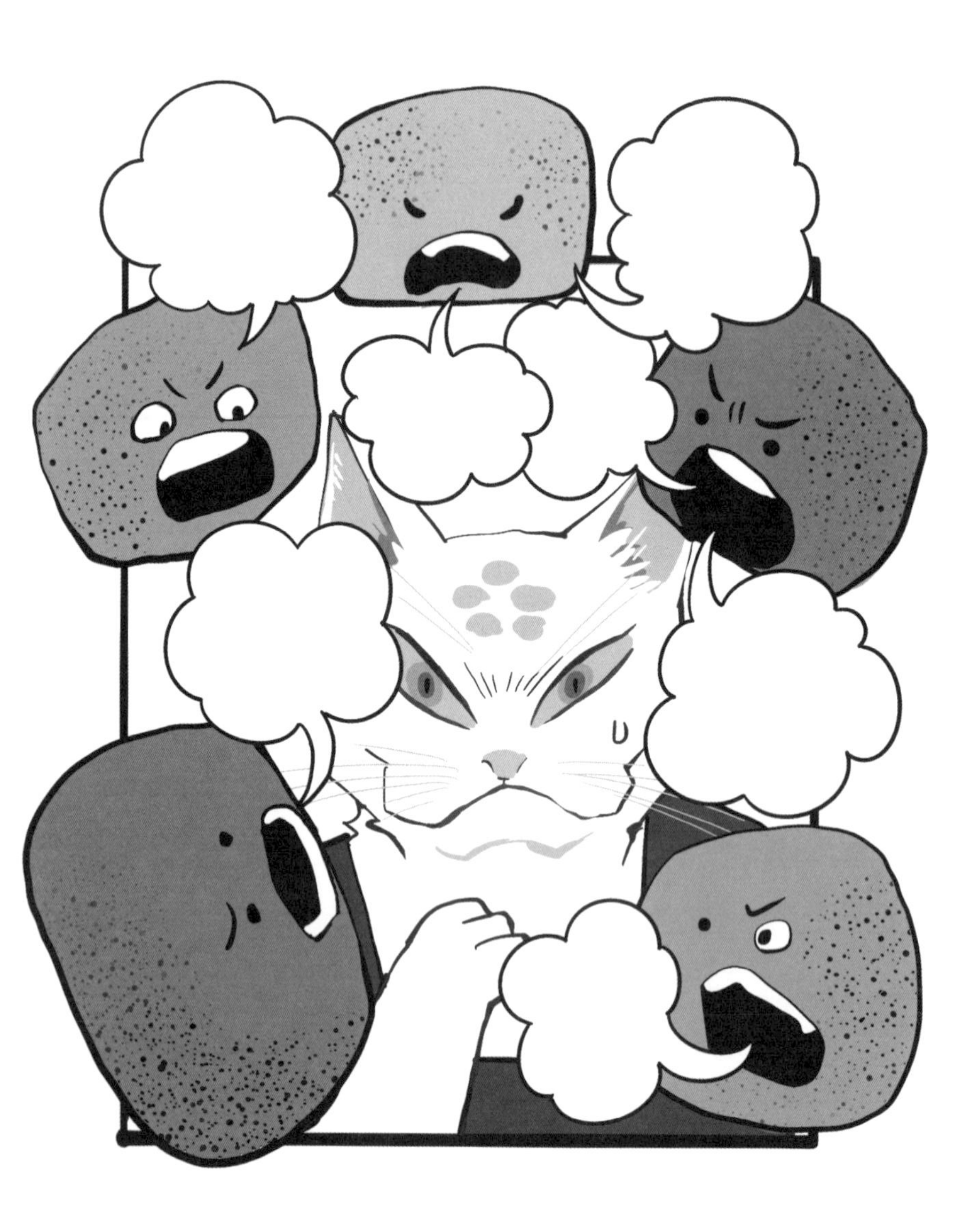

「くれるっていうんだから」「素直にもらえば、いいじゃねえか」

そう言って、うめ也に抗議するように、ガチガチと固い音を立てて回転を始めた。

「トウロウ5さんまで」

うめ也が困りはてた顔になった。

「うめ也店長、いろいろご心配されるお気持ちはわかりますがね。社長さんからのご厚意なんですからねえ。そのままお受けとりになったらいいと思いますよ」

土羅蔵さんのやわらかな説得に、うめ也はうんとうつむいた。

「……わかりました。みなさんがそうおっしゃるなら」

うめ也は、とうとうアサギに優待券をわたした。

「じゃあ、これ持って。もう家に帰るんだよ」

「うん！」

アサギは笑顔でうなずいた。

妖怪だって風邪をひく

ツキヨコンビニから出て、振り向いたら、店が消えていた。

そこは住宅街にある、ただの空き地だった。石がちらばって、すみに雑草が生えているだけの場所だ。

（本当に、ツキヨコンビニは人間には見えないんだ！）

ちょっとの間、そこを見ていたけど、店は現れない。アサギはうーむと首をかしげて、歩きだした。

（本当に不思議なお店だなあ。で、ここってどこなんだろ？）

しばらく通りを歩くと、そこは千鳥マンションからごく近い場所だとわかった。

走ったら、マンションから一分以内につきそうだ。

「……ただいま」

鍵を開けて、そう言ったが、部屋の中はしんとしている。

(あれ、ママ、まだ寝てるの?)

ツキヨコンビニにけっこう長くいたから、ママがアサギの帰りの遅いのを心配している
かも……と思っていたのに。

ダイニングのかけ時計を見て、アサギは「あれ?」と、声を上げた。

(時計、遅れてるのかな?)

エコバッグからケータイを取り出し、待ち受け画面の表示時刻を確かめた。

(こっちも同じ時間だ。でも、家を出てから30分しかたってないなんて、ありえないよ)

30分だったら、三軒のコンビニを回って帰ってきたぐらいの時間だ。その後ツキヨコン
ビニに行って、どう考えても一時間以上はいたはずなのに。

(なんで? どうして?)

考えながら自分の部屋に入ると、うめ也がアサギのベッドの上に座っていた。

「う、うめ也!」

びっくりしすぎて、声が裏返った。

「うそ！　帰ってきてたの？　いつ？」

「ぼくも今帰ってきたところ」

「ど、どこから現れたの？　わたし、家の鍵かけてたでしょ？」

「妖怪だし、するっと入れる方法があるんだよ。それにツキヨコンビニの時間は、この世の時間の流れ方とちがうんだ。ツキヨコンビニで六時間働いても、一分しかたってないことにできる」

「え、それじゃあ、わたしも、ツキヨコンビニにいたのは、この世時間で一分間ってこと？」

「そうしておいた……。アサギが帰った後も、すごくいそがしくてね。そうそう、トウロウ5さんも、アサギ考案のメニューに興味津々だったよ」

「え、そうなの?!」

「トウロウ5さんたちは、ずっとどこかの日本庭園に住んでる石灯籠の妖怪なんだ。そのせいか和風の味付けがお好みで……焼き芋を使ったってところがツボだったんじゃないかなあ。アサギは次、いつ来るんだって何度も聞かれたよ」

「わあ！　もういつでも行くよ！　じゃあ、晩ご飯の後に行こうか？　一分しか留守しないんだったらママにもバレないよ！」

「ダメ、今日はもう疲れてる」

うめ也はごろんと横になった。

「えー。うめ也あ」

（でもまあ、しかたないか。うめ也店長、すごくいそがしそうだったもんね）

アサギは、ベッドに腰かけて、うめ也のひたいの梅の花をなでた。

うめ也は気持ちよさそうにのどを鳴らし、すりすりとアサギの手に頭をこすりつけ、くるりと丸くなった。

（しっかり者の妖怪店長でも、こうしてると、やっぱりうめ也はねこなんだなあ。……わたしもなんかねむくなってきた）

アサギはうめ也のとなりで横になって、うーんと体を伸ばした。

翌朝、アサギは学校に向かいながら、わくわくしっぱなしだった。

今日、学校の帰りに、ツキヨコンビニに行ってもいいと、うめ也に言われたのだ。

「ぼくは先に店に入ってるから、好きなタイミングで昨日の場所に来て」

「わたし一人で大丈夫なのかな。あの場所が空き地のままだったら、店に入れないよ」

「オーナーさま・ご優待券を手に持って空き地に入れば大丈夫。必ず店に入れるから。待ってるよ」

「わかった！」

そう約束して、ランドセルの中に、優待券を入れたのだ。

ずっと授業中、ニヤニヤしていた。そして、どんなものを妖怪たちに作ってあげようか考え続けていた。

（オーナーさま・ご優待券を思いっ切り使って、好きなだけ材料を買えるんだったら、やっぱりあこがれのスイーツタワーかなあ。うん、ばなにーさんのために、めっちゃイエローで豪華なタワーにしよう）

それで、昨日使ったもの以外で、コンビニにありそうな黄色い甘い食べ物を、一生懸命思いうかべた。

(プリンとチーズケーキはあるって言ってたよね。カットフルーツはなにがあるかな？　アイスもパンプキン味のが入ってたらいいな。あと、オレンジマーマレードと……。トウロウ5さんもいるなら、焼き芋をまた使おうかな。甘栗もいいかも)

終わりの会が終了するとすぐ、アサギは走ってツキヨコンビニに向かった。

そして、昨日の空き地の前に立つとランドセルを開け、オーナーさま・ご優待券を取り出した。

(本当に、うめ也といっしょじゃなくても、ツキヨコンビニは現れるのかな？)

ドキドキしながら券を両手でしっかりと持ち、空き地にゆっくり一歩ふみこんだ。

「「いらっしゃいませ」」

氷くんとうめ也店長の声がした。

昨日と同じ、店の中だった。

振り返ったら、自動ドアがゆっくりと閉まるところだった。

うめ也と氷くんはカウンターの中にいた。

イートインコーナーからは、ばなにーさんと土羅蔵さんが、そろってこちらに手を振った。

カウンター前の通路には、トウロウ5さんたちが並んで、体を左右にゆらしている。

（みんな、いるいる！）

「みなさーん、今日は、オーナーさま・ご優待券を使って、思いっ切りすっごいイエローをごちそうしまーす！」

アサギは、さっそくみんなにそう呼びかけた。妖怪たちはそろって拍手をした。

「もちこちゃん、これ材料リストなんだけど、いっしょに集めてくれる？」

アサギは使いたい食材を書いたノートを手に、どこにいるかわからないもちこちゃんに呼びかけた。するとななめ後ろから触手がしゅるっと伸びてきて、アサギの肩越しにノートを取った。

「ええっと、もちこちゃん。まずパンプキン味のアイスクリームがあるかどうか見てくれる？」

話していたら、うめ也がカウンターから出てきた。

「……アサギ、あのさ」

うめ也がこしょこしょと小声で言った。

「ばなにーさん、風邪気味なんだ」

「え？　風邪？　妖怪って風邪ひくの？」

「妖怪によるね。ばなにーさんは寒さに弱いタイプでさ。さっきから寒気がするって言ってらして」

アサギはびっくりして、イートインコーナーに座っているばなにーさんを、じっと見た。

「……ばなにーさん、なんか昨日よりも緑色っぽい」

「うん、あのスーツ、体が冷えると緑色になるんだよ。だから、アイスとか冷たいものはよくないと思うんだ」

「そうなんだ……。じゃ、アイスはやめようか」

アサギのプランでは、プリン、チーズケーキ、カットフルーツ、生クリームで作ったタワーのてっぺんに、パンプキンアイスとバニラアイスを盛り、オレンジマーマレードをたらし、小さく切った焼き芋と甘栗をそえるつもりだった。

アサギは、ううーんと考えこんでしまった。アイスぬきのスイーツタワーでは味がしまらない気がする。それにプリンやフルーツも冷たいから、風邪にはよくないかもしれない。

「ばなにーさん、熱いものでも飲まれたらいかがですか？　体が温まりますよ」

コーヒーをちびちび飲んでいた土羅蔵さんが、そうすすめた。

「……温かいものはほしいけど、そんな暗黒色の飲み物はイヤだよ」

ぶるっとばなにーさんが震えた。すると、トウロウ5さんが言った。

「それじゃあ、おでんの玉子でも食ったらどうでい？」

「おおそうだ。あったけえし、割ったら黄身が出てくる」

「それもイヤだよ」

ばなにーさんが頭を振った。

「なんでえ。玉子は好きでよく食ってるじゃねえか」

「そんなきたない……しょうゆ色の液体につかってる玉子はイヤだ」

「おい、きたねえとはなんでい」

「てめえ、しょうゆをバカにするんじゃねえ！」

「そうだ！　しょうゆがなかったら、刺身や卵かけ飯なんか食えたもんじゃないぞ」

「バカにしてないよ！　色がイヤなんだからしょうがないじゃないか！」

「みなさん、落ち着いてください！」

トウロウ5さんとばなにーさんが言いあらそうのを、うめ也が必死で止めた。

「おう、うめ也店長、どっちが正しいと思う？」

「そうだ！　言ってくれよ！」

トウロウ5さんとばなにーさんにつめよられたうめ也は、苦しそうに答えた。

「……ばなにーさんは黄色いものがお好き、トウロウ5さんはしょうゆ味のものがお好き、土羅蔵さんはコーヒーが主食、みなさんちがったお好みです。どれが正しいとか、ないですよ」

うめ也の言葉を聞いて、アサギは、うん？　あごを上げた。

（トウロウ5さんはしょうゆ味が好きなんだ。それに土羅蔵さんは……コーヒーに合うものが好きだったよね……）

「どういうセレクトでも、どういう形でも、このツキヨコンビニのものを楽しんでいただけるのでしたら、ぼくは店長としてそれはすべて正解だと……」

「わかった！」

うめ也の言葉をさえぎって、アサギは叫んだ。

「そうだよね！　みんな、同じものがおいしいってことはないし、その日によって食べたいものもちがう。スイーツタワーは中止！　ほかのメニューに変更する！」

うめ也がまだなにか言いたそうだったが、アサギは耳をかさずに続けた。

「もちこちゃん、材料いっしょに集めて！　氷くん、わたしにその青いエプロンかして！」

「あ、あ、はい」

アサギは氷くんのはずしたエプロンをうばうようにして受けとると、もちこちゃんといっしょに食品の棚に駆けていった。

イエローメニューは大評判!!

アサギは、わくわくしていた。

テレビで見たことがある、料理対決番組の挑戦者になったような気持ちだった。

(……黄色くてあったかい食べ物。で、土羅蔵さんにも食べてもらいたいから、コーヒーに合う感じの。ってことは、カフェメニューにあるようなのがいいよね)

鋭い目で、食品の棚を見て回っていたが、冷凍庫の前で、お！　と声を上げた。

(冷凍のカルボナーラパスタが入ってるじゃん！　玉子をのせて、粉チーズをいっぱい振りかけたら、どう？　アツアツだし、黄色も濃いよね！)

うんうん、と、うなずいた。

(あ、でも土羅蔵さん、ちょっとずつしか食べられないかも。じゃあ、短いマカロニグラ

タンの方が。でも、カルボナーラの黄色がほしいよ！　あ、待って、トウロウ5さんって和風好みだった……。パスタやマカロニグラタンは好きじゃないかも）

ぐるぐると棚のまわりを歩いていると、調味料の列に並んでいた、カルボナーラのソースが目に入った。

「あ、ソースもあるんだ。これを使えばカルボナーラ味にはなる……」

ソースを手に冷蔵食品の方を見て、はっとひらめいた。

（そうだ！　これだ！）

アサギは、もちこちゃんといっしょに材料を集め、カウンターに行った。

氷くんにレジを通してもらうとすぐに、食材を抱えてバックヤードのキッチンに飛びこんだ。

「うめ也、手伝って……って、あっ、もういた！」

うめ也はとっくにまな板の前でスタンバイしていた。

「どうするの？」

「これ、切って。一口サイズ、スプーンで食べたらいいぐらいの長さに」

「うどんを切るの？」

「そう、ああ、そうだ！　もちこちゃん、けずりかつおぶしのパック、持ってきてくれる？」

（うわあ、なんか燃えるー!!）

頭の中で、小さなひらめきがイルミネーションみたいに、次から次へと連なる。

こんな感覚は、初めてだった。

そして、このひらめきを形にしたものが、ここにいるみんなを喜ばせることができるんだと思ったら、おなかの底から、熱いエネルギーがどんどん湧きだす。

作業を進めるうちに、おいしくて楽しい予感が確信に変わり、アサギはもう、歌いだしそうだった。

「はい、どうぞ！」

アサギはできた料理を、イートインコーナーのテーブルに運んだ。

「これ、イエローがきれいだな！」

スーツから顔を出したばなにーさんが、目を輝かせた。

「カルボナーラ風イエローうどん・温泉玉子とチーズのせ。ばなにーさん、アツアツのうちに食べて、体をあっためてね。土羅蔵さんはコーヒーといっしょにどうぞ」

ばなにーさんは、ズルズルッといっきにめんをすりこんだ。

「わお!! うまい！ それにあったまるよ！」

ばなにーさんが、にこおっと笑った。

「ほんと？」

「ほんとに！ めちゃくちゃうまい。元気が出る味だね」

「よかったあ！ ばなにーさんのは、風邪対策でチューブのニンニク、入れたんだよ」

「おや、わたしのはショートパスタなのかな？」

土羅蔵さんがスプーンですくって、声を上げた。

「土羅蔵さんのは、うどんをマカロニぐらいのサイズに切ったんだよ」

「おお、これは食べやすい。それにわたし、歯が弱いんでね、やわらかいのは助かりますよ」

土羅蔵さんがにっこり笑った。

「ふうん。そいつは、うどんなのかい」

トウロウ5さんたちが、興味を示した。

「トウロウ5さんたちもどうぞ」

自分たちの前に並んだ皿に、岩石妖怪たちは顔を見合わせた。

「おれらのは」「なんか」「ちがうぞ」「かつぶしが」「おどってら！」

「トウロウ5さんたちのは、チーズはやめて、しょうゆをまぶしたかつおぶしをかけたの。その方が和風ぽいかなって思って」

「「「「おー」」」」

トウロウ5さんたちは、いっせいに叫んで食べはじめた。

「こいつは、うめえ！」「初めて食ったが」「かるぼならとは」「イキなもんだ」「しょうゆの味がきいてらあ！」

お客たちは、アサギの作ったイエローうどんをきれいにたいらげた。

ばなにーさんは、スーツが元の鮮やかな黄色にもどったし、土羅蔵さんは前よりも食べるのが速かった上、コーヒーのおかわりもした。トウロウ5さんは、きちんと石灯籠の形に合体して、アサギにお礼を言ってくれた。

「ほかのみんなのも、作るね」

「ほんとですか?!」

氷くんがうれしそうに目をくるくるさせた。

「じゃあ、ぼく、玉子ダブル、なんていいですか?!」

「玉子ダブル、いいね！　もちこちゃんは？」

するともちこちゃんが、ぷるぷると触手を横に振った。

「もちこちゃんは金属系が好きなんです」

氷くんが教えてくれた。

「あ、そうなんだ。それ知ってたらあまってるクギとか、おやつに持ってきたのに！

じゃ、うめ也は？　かつおぶし、好きだよね？　かつおぶしマシマシにしようか？」

するとうめ也はゴクンとのどを鳴らしたが、

「……ぼくは今はいいよ。ほかのお客さまがいらしたらいけないから」

と、誘惑を振りはらうように、顔をそむけて言った。

するとうめ也の言葉のとおりに自動ドアが開いて、ひらひらとバスタオルサイズの蝶たちが連れだって入ってきた。

「「いらっしゃいませ」」

声が三つ重なった。

うめ也と氷くんといっしょに、気がついたらアサギもそう言っていたのだった。

アサギは結局その日、閉店までツキヨコンビニにいた。

あの後、ばなにーさんたちの話を聞いた蝶型妖怪のバタ風さんたちも、イエローうどんを食べたいと言いだした。

「これはその、商品ではなくて、ええとお試しのメニューなんで」

うめ也が断ろうとしたが、アサギはかまわず、材料を使い切るまでお客たちにイエローうどんを作ってごちそうした。

イエローうどんは好評で、みんな、ほめてくれた。

アサギは、本当にうれしかった。

思いついたことでこんなにほめられ、喜ばれるのは初めてだった。

アサギは不機嫌な顔や、疲れた顔の大人が苦手だ。それと、子どもは大人の言うことをきくもんだと思いこんでる大人もキライだ。

ツキヨコンビニの人外たちは、みんなヘンだけど、だれも不機嫌じゃないし、疲れた顔もしていない。その上、いじわるじゃないし、子どもだからって納得できないような命令もしないし、ノリがよくて、すぐに盛りあがる。

「わたし毎日ここに来たい！　でも一回きりの券だから……ざんねん！」

お客や氷くん、もちこちゃんと別れを惜しんで、アサギは結局、ツキヨコンビニの閉店時間までねばった。

帰りは、うめ也といっしょに歩いて帰った。

ツキヨコンビニで長い時間すごしたのに、この世にもどれば下校の続きで、まだ空が明るいのがヘンな感じだ。

「いそがしすぎて、うめ也の分、作ってあげられなかったね。今度家で同じもの作ろうか？」

「ねこのときは、ふつうのおかかご飯の方がいいよ」

うめ也が言った。

「ママがいないときは、ねこ又になったらいいじゃん」

「ぼくは、妖力が足りなくて、ツキヨコンビニ以外では、ねこ又の姿になれないんだ……。もっと修業しなくちゃいけないんだけど」

恥ずかしそうに、うめ也が言った。

「ふうん……。仕事してるのに、修業もしなくちゃいけないのかあ。妖怪も大変だね」

アサギが言ったとき、うめ也がぴくっと耳を動かして立ちどまった。

「どうしたの？」

「今、だれか見てたかも」

うめ也が後ろを振り返って、言った。

「え？」

アサギも振り返ったが、静かな住宅の立ちならぶその通りには、だれの姿も見えなかった。

「人間の気配がしたんだけどなあ」

「ほんと？　じゃ、いっしょにしゃべってるの、見られたらよくないね。うめ也、こっちおいで」

アサギはうめ也を抱き上げて、マンションに向かった。

「アサギ、重いんじゃない？　歩いていくよ」

「しゃべっちゃダメ」

うめ也はまだなにか言いたそうだったが、口を閉じてうなずいた。

「アサギちゃん、おかえりなさい」

マンションのガレージで、のんびり読書していた大家さんが、アサギを見るなりいすから立ち上がった。

「あら、その子、アサギちゃんのとこで飼ってる子でしょ？　外に出ちゃってたの？」

「あ、はい。うめ也とそこのところで会って……いっしょに帰ってきました」

うめ也をめがねごしにじーっと見つめて、大家さんが言った。

「まあまあ、うめ也さん。勝手にお出かけして、飼い主さんに心配かけちゃダメよ」

大家さんに言われて、うめ也は決まり悪そうに、「みぎゃあ」と鳴いた。

妖虫で大騒ぎ

次の日曜日、アサギは、夜勤明けのママがねむったタイミングで部屋を出た。

そんなに気が乗らないけど、コンビニめぐりをするつもりだった。

ツキヨコンビニに行ったのが先週の月曜……いっしょに家に帰ってきてから、うめ也が、話さなくなった。二人きりのときに話しかけても、にゃあとしか返事しない。

アサギは、ツキヨコンビニの話をしたかった。氷くんやもちこちゃんがどうしてるかとか、玉兎さんは毎日来てるのかとか。常連のお客さんたちのうわさ話も聞きたかった。

でもうめ也は知らんぷり。

今朝もそうだった。

「うめ也、いつまでふつうのねこのフリするの？　ねこ又だってわかってるのに、今さら

そんなのヘンだよ！」

うめ也はめんどくさそうに、ぴくんと耳だけ動かすと、また寝てしまった。

（なんだろ。うめ也ったら、そんなにツキヨコンビニのこと、話したくないのかな）

アサギはばかばかしくなって、この世のコンビニにでも行こうかな、と思ったのだった。


（なんか、お天気悪いな。ちょっと寒いし）

アサギは曇り空をちらっと見上げると、パーカーのポケットに手を突っこんで、ナインマートに向かった。

「……いらっしゃいませ」

店員が作業しながら、気のぬけたあいさつをした。

（……ここのコンビニって、こんなに薄暗かったっけ？）

棚に並んだ商品も、店の照明も、たぶん前と変わっていない。でも、なんだか色があせたような、ほこりっぽいような……全部つまらないものに見えた。

新商品を見ても、胸がときめかない。少々変わっていても、たかが知れている。

からあげも、トッピングパウダーが、ゆず風味か唐辛子風味って、つまらなすぎる。

（うわ、イートインコーナーの床、コーヒーこぼれたままじゃん！　うめ也はあんなの見逃さないし、もちこちゃんが一瞬でピカピカにするよ！　ここの店、やる気なさすぎ！）

アサギはムカついて、ナインマートを出た。

（ほかのコンビニに行こうかな……。でも、どこも同じかも。わたしの行きたいコンビニはこの世にないんだもの）

そう思った瞬間、胸の中でずっと閉じていた穴が、ぱくっと開いたみたいに寒々しい気持ちになった。

（行きたい。ツキヨコンビニに行きたい。今すぐみんなに会いたい）

気がついたら、足が勝手にあの空き地に向かって歩きだしていた。

空き地には、ツキヨコンビニはなかった。そうっと空き地にふみこんでみたが、なにも変わらなかった。

アサギは切ない気持ちで、うなだれた。

すると雑草の間に、なにか光るものが落ちているのに気がついた。

アサギはしゃがんで、それに手を伸ばした。銀色のカードだった。

（落とし物かな？　大事なカードだったら、落とした人は困ってるかも……）

それをつまみあげた瞬間、ぱっと目の前が白く明るくなった。

「『いらっしゃいませ』」

聞いたことのある声がして、アサギははっと顔を上げた。

ツキヨコンビニの中に、いた！

カウンターの中にいたうめ也が、目を見張った。

「アサギ！　なんでここに」

「うめ也、出勤してたんだ！　わたしもなんでここに入れたのか、わかんないんだよ」

「アサギさん！　いらっしゃいませ！」

氷くんがたたっと駆けよってきた。

「また玉兎さんから、オーナーさま・ご優待券をいただいたんですか？」

「ううん。優待券なんてもらってないよ」

「あ、本当だ。それは優待券ではないですね」

氷くんが、アサギの握っている銀色のカードを指さした。

「それは、プレ会員カードです」

「プレ会員カード？」

「そうです。ツキヨコンビニへの入会を申しこまれた方が、正式な会員になる前に仮にわたされるカードです」

「空き地で拾ったんだけど。これ持ってたら、ツキヨコンビニに入れるの？」

「はい。いつでもご利用できますよ」

「ちょっと待った！　それは拾ったカードなんだから、アサギのじゃないだろ」

うめ也が足早にやってきて、アサギの手からプレ会員カードを取りあげた。

「どなたのものか、氷くん、調べてくれる？」

「はい！」

氷くんは、カウンターでカードをリーダーに通すと、言った。

「カードの所有者は、日向アサギさんです！」

「「え?!」」

うめ也とアサギは、同時に声を上げた。

「そんなはずないよ！　もう一回調べて」

「本当です。ちゃんとプレ会員として登録されてます」

「まさか……いつのまに」

うめ也が固まったとき、自動ドアが開いて、ばなにーさんがやってきた。

「おおお！　来たな！」

アサギを見るなり、ばなにーさんが両手を上げた。

「ばなにーさん！」

アサギも両手を上げ駆けよった。

ハイタッチをして盛りあがる二人に、うめ也はひたいを押さえてうめいた。

「会社はなんだって、アサギにあんなカードを発行したんだ……」

「あのメニューが大人気だからじゃないですか？」

氷くんが、カウンターの上に貼ってある、イートインカフェメニューを指した。

そこには『イエロースイーツ盛り（焼き芋ハニー）』『イエローカルボナーラうどん

（チーズ味）（かつおぶし味）』と書かれていて、蛍光ピンクの文字で、うめ也店長の飼い主さま考案！　と書きそえられていた。

「わあぁ！　あのメニュー、商品になったの?!」

「そうなんですよ。壁の写真見てください」

見ると、いろんな妖怪が、イエロースイーツやうどんといっしょに撮った写真だった。蛍光文字で「イエローシリーズ、サイコー！」「おかわりください!!」「飼い主さん、今度はピンクのスイーツ盛りがいいな！」など、メッセージが添え書きされていた。

「大人気じゃん！　うめ也、なんで教えてくれなかったの?!」

「……教えたら、アサギ、もっとツキヨコンビニに来たがるだろ」

顔をしかめてうめ也が言った。

「アサギさん、やあやあ」

壁の上の方から、声がかかった。土羅蔵さんが、灰色のつばさを少し開いて壁に留まっていた。

「土羅蔵さん！　あのね、わたし、ここの会員になったんだよ」

「仮会員です。まだ正式な会員じゃありません」

うめ也がすかさず横から訂正する。

「ようし、今日もみんなのために、なにかおいしいメニューを作ろうか！」

張りきるアサギに土羅蔵さんが笑って言った。

「ま、お座りになったらどうですか？　アサギさんだって、お客なんですから」

「そうだよ。今日はお客同士でお茶しようじゃないか」

ばなにーさんが、そう言いながらイートインコーナーに座り、となりの席をポンポンとたたいた。

「……うん！」

アサギは、ばなにーさんのとなりに落ち着き、そのとなりに、土羅蔵さんがふわりと座った。

「今日はオレがなんかごちそうするよ。おお、今日のポテトフライはいいイエローじゃないか。それにしよう」

「ポテトフライ大好き！　あ、ねえ、ばなにーさん、フライにとろけるチーズかけたらもっとイエローだよ！」

「いいね、いいね。それやろう！」

ばなにーさんが注文し、氷くんがリクエストどおりのアツアツのチーズのせフライを運んできた。

「いただきまーす」

アサギがポテトに手を伸ばして、特に太めの一本をつまんだ。口に運んだそのとき。

「キャー！」

そのポテトがくの字に折れて、いきなり悲鳴を上げた。

「キャー!!!」

ポテトの三倍ぐらいの大声で、アサギも悲鳴を上げた。

指の間でじたばたともがくポテトに、アサギは真っ青になって叫んだ。

「うめ也ーっ！　ポテトが暴れる!!　どうしようーっ!!」

すっ飛んできたうめ也がアサギの手から、そっとポテトを取り、テーブルの上に置いた。

ポテトはキーキー言いながら、抗議するように身をくねらせた。

「これは、妖虫です」

「え、虫?! ヤダ! 虫食べちゃうとこだったじゃん!!」

アサギは震えあがった。

「蝶型妖怪の幼虫なんですが、ポテトそっくりなんで、ときどきまじってしまうんです。氷くん、逃がしてやって」

「はい!」

氷くんは、妖虫についたチーズのかけらをはがし、どこかに連れていった。

「アサギの今の顔、ケッサクだったぜ」

ばなにーさんが、おなかのあたりを押さえて、体を震わせて笑っていた。

「いや、人外を恐れず、うめ也店長も頭が上がらないアサギさんでも、怖いものがあったんですなあ」

土羅蔵さんも、興味深そうに言った。

「食べ物が悲鳴あげて動きだしたら、怖いに決まってるよ! それに虫なんだよ! 食べ物に虫が入ってたりしたら、ふつう、すんごい苦情出るよ!」

「あいにくこちらは、人間の店じゃないんで、こういうことで苦情は出ませんけどね」

うめ也はテーブルをダスターでふきながら、冷たく答えた。

「なによ、その言い方……。うめ也、わたしがここに来るの、イヤ？」

「……イヤなんじゃなくて、心配してるんだ。やたら浮かれてるから」

うめ也の言い方に、アサギはかちん！　ときた。

「浮かれてなんかいないよ！　みんなに会えて喜んでるだけじゃん！　だいたいうめ也は心配しすぎだよ！　あー、わかった。うめ也、おもしろくないんだ。この店で一番エライ店長さんなのに、飼い主なんか来ちゃったら、めんどくさいもんね！」

うめ也は、パシッ、とダスターをテーブルにたたきつけるようにして、アサギを見た。

「アサギはわかってない。生者は本来、人外の領域にふみこんではいけないものなんだ」

「じゃなんで、妖怪のうめ也がうちの飼いねこになったの？」

アサギはくちびるを突き出した。

「うめ也は、自分で決めて、うちの子になったんじゃないの？　それって、言ってること、おかしいよ！」

「そ、それは」

うめ也が、絶句して立ちすくんだ。

「そ、そういうことじゃなくて。それは……」

しどろもどろになったうめ也から、アサギはぷんと顔をそむけた。

「もういいよ。帰る！」

アサギはツキヨコンビニを飛び出した。

アスファルトの道に立ち、振り返ると、やはり店は消えていた。

（……うめ也のバカ!!）

空き地をにらみつけていたら、ぽつっとなにかが鼻の上に落ちてきた。

「あ、雨？」

見上げたとたんに、カサカサと枯葉をふむような音がして、細い雨が降ってきた。

（わ、冷たいっ！）

あわてて走りだしたら、ドンッ！　とだれかにぶつかった。

「あ、ごめんなさい！」

「あはっ、急な雨であわてたもんね」

傘をさした若い男の人が、にこやかに答えた。黒いナイロンジャケットの胸についた、うさぎのキャラクターのワッペンが目に入った。

（あ、かわいいうさぎ！）

「きみ、家は近くなの？」

「え、ええと。まあ……まあ……は、は、はなれてるのかな？」

知らない人に話しかけられたら、気をつける。名前や学校、家の場所など教えてはいけない。習ったことを思い出して、口ごもった。

「それならこの傘、持っていきなよ。ぬれちゃうよ」

男の人が、ビニールの傘を、すいっとアサギにさしかけた。

「え、そんな！　いいです！　近いし走って帰れます」

つい、そう答えた。

「いいよ。ぼくだってこの近くだし」

男の人はナインマートのレジ袋をさげていた。本当にこの近所の人のようだと思った。

男の人はためらうアサギに傘を持った手を突き出し、にこっと笑った。笑うと下がり目になって、マシュマロみたいにやわらかな顔つきになった。

「それは返さなくていいからね。じゃあね。早く家に帰るんだよ」

「あ、ありがとうございます」

アサギはお礼を言って、去っていく男の人に手を振った。

（……めっちゃ優しいお兄さん！　それにかわいいうさぎのワッペン……あのお兄さんに似てるかも。うん、「うさぎのお兄さん」って感じだよね）

そう思ったら、ほっこり、あったかい気持ちになった。

（……それに比べてうめ也ときたら）

さっきのうめ也の態度を思い出したら、プンとほっぺたがふくらむ。

「うめ也もあのお兄さんを見習ってほしいよ！」

アサギは傘の柄をぎゅっと握り、大またで千鳥マンションに向かって歩きだした。

うめ也(や)は過保護(かほご)パパ？

その日の夕方。

アサギは自分の部屋(へや)のベッドで、うめ也(や)が仰向(あおむ)けになってねむりこけているのを確認(かくにん)した。

(よしよし、あの感じだったら、店には行かないよね)

窓(まど)を開けたら、雨はすっかりやんでいた。

ママは近所のスーパーに買い物に行っている。

(行くなら今だね)

アサギはダッシュで空き地に向かった。そしてプレ会員カードを手に、えーいと土の上にジャンプした。

「いらっしゃいませ」

氷くんの声がして、アサギはツキヨコンビニの中に立っていた。

「うめ也、来てないよね？」

カウンターの前にいる氷くんにたずねた。

「はい。今日はもういらっしゃいませんよ。もう閉店ですし」

言われてみれば、店内は静かで、お客はアサギ以外にだれもいなかった。

もちこちゃんは、シュルシュルとはって、壁や天井の清掃をしていた。

「なあんだ、もう閉店の時間なんだ。ここって何時閉店なの？」

「人間の時間では決まってないんですよ。まあ、あの月の形が目安ですかね」

氷くんが、三角形にめくれた天井の向こうに見える、夜空を指さした。アサギがのびあがって目を凝らすと、円い満月が見えた。

「うめ也店長と仲直り、してないんですか？」

氷くんがレジまわりを片づけながら、アサギに聞いた。

「……だって、うめ也、家じゃぜんぜん話さないんだもん。おかかご飯を食べてるか、寝てるかばっかりで」

「あれ、アサギさん家では、うめ也店長って、そんな感じなんですか？」

「そうだよ。もう思い切り『ぼくはふつうのねこです』ってアピールしてる感じ」

「ふうん。せっかくねこに生まれ変わるのをやめて妖怪になったのになあ」

氷くんが気になることを言った。

「生まれ変わるのをやめたって？　どういうこと？」

「うめ也店長はもともと、ふつうのねこだったんですよ。でも、なにか人間とあったらしくて、妖怪になりたいって志願したんですよね」

「人間となにかあった？」

「人間とかかわるのは、もうこりごりだって言ってました」

（人間とかかわるのは、もうこりごり？）

――うめ也は、自分で決めて、うちの子になったんじゃないの？　それって、言ってること、おかしいよ！

アサギのその言葉で固まった、さっきのうめ也のようすを思い出した。一瞬、凍りついたみたいになって、そのあと、しどろもどろになった。

（人間と、なにか、すっごくイヤなことがあったのかなあ……。でもそれなら、本当にどうしてうちの飼いねこになったんだろう？　飼われるのがいやだったら、すぐに逃げ出せたはずなのに）

「まあ、そうは言ってもアサギさんのことは、特別みたいですけどね」

「え、そうなのかな？」

「そうですよ。うめ也店長は、いつもクールでテキパキしてて、どんなお客が来てもあわてないんです。なのに、アサギさんのことになったら、もうオロオロしちゃって。過保護なパパみたいだよねって、もちこちゃんに言ってたんですよ」

「過保護なパパ！　アハハ、言えてるかも。すっごく心配性でいろいろ注意してくるもんね」

アサギはしばらく氷くんと話したが、閉店と共に帰ることにした。

「店内にいたこの世時間は、一分でいいですか？」

「それでよろしく！」

アサギは氷くんに手を振って、店を出た。

すとんと、空き地の前の道路に出た。

夕焼けの空の色も、雲の位置もほぼ変わっていない。

マンションに向かって歩いているうちに、ふっと気がついた。

(かつおぶしのパック。もう切れそうなんだっけ)

ママがうめ也用のかつおぶしを買って帰ってきてくれたらいいんだけどな。

ちょっと考えて、決めた。

(今からスーパーに行ってママを見つけて、うめ也用のかつおぶしを、買ってもらおう!)

アサギは、くるっと向きを変えた。

そのとたん、さっとだれかが身をひるがえし、走って角を曲がるのが見えた。

その黒いジャケットの背中でフードがゆれるのが一瞬見えて、ちょっとの間、なにかが頭の片すみに引っかかった。

でも、なにが気になるのか、考えてもわからない。

(まあ、いいや)

アサギは気を取りなおして、スーパーに向かった。

歩いている途中に、さっき氷くんが言った言葉がよみがえった。

——アサギさんのことは、特別みたいですけどね。

——アサギさんのことになったら、もうオロオロしちゃって。過保護なパパみたいだよねって。

自然とアサギの口元がゆるんだ。

（うめ也のおかかご飯、もうちょっと、いいかつおぶしにしてあげてもいいかな……）

うさぎのお兄さんの正体

次の日。

アサギは学校からの帰り道、ツキヨコンビニに行くかどうか、ずっと迷っていた。

あれから、うめ也の家での態度はさらに悪くなった。呼んでも無視するし、ママにしか返事しない。

「ねえ、今日はうめ也、ずっとお店にいるの？」

しつこく聞いたら、じろっとにらんで、ママの部屋に逃げられる始末だ。

――アサギはわかってない。生者は本来、人外の領域にふみこんではいけないものなんだ。

ツキヨコンビニでそうしかられたけど、アサギはぜんぜん納得できない。

（うめ也、わたしが妖怪とかゾンビとかと仲良くなりすぎるのが、心配なのかな？　なん

て言っても「過保護なパパ」だし）

アサギにしたら、転校して約三週間はたったものの、なにかと気をつかう同じクラスの子たちよりも、人外たちの方がよっぽど気楽に話せる。ツキヨコンビニでは、その場の空気を読むのに必死にならなくてもいいから、のびのびできる。

昨日のポテトフライだって、妖虫にびっくりしてしまっただけで、食べ物飲み物にさえ気をつければ、怖い場所じゃないのはわかっているし、帰ってからも、前にうめ也が気にしていたみたいに「後で具合が悪くなる」ようなこともなかった。

（昨日チーズがけポテトフライ、食べそこねちゃった……。あ、そうだ。からあげ用のトッピングパウダーをポテトにもかけたらどうだろ！　茶色のパウダーがけポテトなんか、もう最高においしいんじゃない？）

そう思いついたら、すぐにでもツキヨコンビニに行きたくて、がまんできなくなった。

（もう、うめ也なんて知らない！　わたしはツキヨコンビニのプレ会員カードを持ってるんだから、堂々と行っちゃうからね！）

アサギは小走りで、空き地まで来ると、パーカーのポケットの中で、プレ会員カードをぎゅっと握りしめた。

(行っくぞー!)

雑草の生えた土の上に飛びこもうとした瞬間、だれかにくいっと腕をつかまれた。

「待って」

男の人の声が、頭のすぐ後ろでした。

アサギはびくっと体を縮めて、おそるおそる振り返った。

「やあ、また会ったね」

見覚えある、やわらかなその笑顔を見て、アサギはほっと力をぬいた。

「うさぎのお兄さん!」

つい口に出して、男の人は、へ? と大きく目を開いた。

「あ、あのう、その服……うさぎのワッペン、かわいいって思ってたから。勝手にヘンな名前つけて、ごめんなさい」

ジャケットのワッペンを指さすと、男の人は、あ、そうかと笑った。

「『うさぎのお兄さん』は、よかったね。ハハハ。ぼく、うさぎが好きだし、とてもいい感じの名前だよ。あ、急に声かけて、びっくりさせてごめんね」

うさぎのお兄さんは、申し訳なさそうにまた笑った。

「いきなり空き地に入ろうとしているのが見えてさ。ここは立ち入り禁止のはずだよ」

「あ、あ、立ち入り禁止……だったんですか」

よく見ると、すみの方の草の間に立ち入り禁止の札が落ちていた。

アサギは、焦った。知らなかったから、と言い訳しようとしたら、

「……きみは、なんで、ここに入ろうとしたの？」

お兄さんが、たずねてきた。

「あ、あの、えーと」

「この前も、この空き地に入ってたよね？」

返事に困って、ポケットの中から手を出し、顔に手をやった。

その拍子に、ペタン、と、プレ会員カードが道の上に落ちた。

「なにか落ちたよ」

お兄さんがカードを拾い上げた。

「あ、それは」

「昨日、これをここで拾ってたよね。もしかして、このカードをさがしに来てたとか？」

アサギは、ぎくりと固まった。

（このお兄さん、わたしがカードを拾ったところを見てたの？　え？　でも、初めて会ったのは、昨日、ツキヨコンビニから出た後のはず……、え？　え？）

「カ、カード、返してください。すごく、大事なものなんです！」

「ふうん、このカードは……やはりキーアイテムなんだ」

そうつぶやいて、笑顔でカードとアサギの顔を見比べた。

「返してあげてもいいけどさ。アリスちゃん、その代わり」

お兄さんが、ふいに真顔になった。

「きみが不思議の国に行くところを、今ここで見せてくれないかな」

「……は？」

（アリスちゃん？　不思議の国……って？）

なにを言っているのかわからなくて、続く言葉が出なかった。

「ぼくはきみがこの場所で、姿を消したり、出てくるのを何度も見てる。この空間に、なにかがあるんだよね」

その言葉に、アサギはいっきに血の気が引いた。

(見られてたんだ!)

「かくさなくていいよ。きみは異世界へのゲートを通過できる、異能力者なんだよね。きみが、いきなり白いねことといっしょに、ここから出てきたのを最初に見たときは、飛び上がったよ。不思議の国のアリスが実在するなんてね。あれはチェシャねこなの?」

お兄さんが、目をピカピカさせてどんどん早口になった。

(え、なに言ってるの? うめ也といっしょに出てきたのを見てた? じゃ、この人は、……前から……ツキヨコンビニに出入りするわたしを見てたの?)

アサギは、思わず後ずさった。

「それで、ぼくはずっときみがここに現れるのを待ってたんだ。やっぱりきみは、昨日、ここに消え、ここから現れた。きみの動画は大反響だよ」

お兄さんは自分のスマホを取り出して、画面をアサギに見せた。

スマホの画面に、アサギがいた。アイコンでかくされて、顔はわからないようにしてあるけれど、まちがいなくアサギだ。そのアサギは空き地にそうっと入り、カードを拾い上げるなり、姿を消した。続けて、今度は空き地からふいに現れるアサギの映像。なにかを確かめるように振り返った後、空を見上げ、「あ、雨？」とつぶやいている。

動画には「消えた少女・異世界へのゲートはここなのか？」とか、「不思議の国から、意外にも、すぐにもどってきたアリス」などのキャプションがそえられている。

（昨日の……撮られてたなんて……。じゃ、この人、わたしのことを……後をつけたり、待ち伏せしたりしてたんだ！）

先週ツキヨコンビニからいっしょに帰ったとき、うめ也がふいに後ろを向いて、「今、だれか見てたかも」「人間の気配がしたんだけどなあ」と言ったこと。

昨日だって帰り道で、進む方向を急に変えたら、さっとだれかが……黒いフードつきジャケットの人が逃げるように走って角を曲がっていったこと。

小さく引っかかっていた、それらのことがいっきにつながった。

背中に氷をすべらせたみたいに、ぞおっと体が凍り、カタカタと震えてきた。

うさぎのお兄さんは、続けてなにか一生懸命言っていたが、アサギの頭は真っ白になって、なにも入ってこない。

「……きみがアリスちゃんでぼくがうさぎのお兄さん。すごくいい組み合わせだと思わない？　二人で世界をあっと言わせられる」

お兄さんが、アサギに、じりじりと寄ってきた。顔が近づいてくる。

怖い。怖すぎて、体が動かない。声も上げられない。まばたきも息も、うまくできない。

（だれか、だれか、だれか来て！）

「きみを世界一の有名人にしてあげられる。だから、二人で異世界へ行こうよ」

と、とつぜん白いかたまりが飛んできて、お兄さんの胸にドカン！　とぶつかった。

「うわ！」

お兄さんが声を上げ、仰向けに引っくり返った。

うめ也が、うなり声を上げてお兄さんに襲いかかっていた。

（う、うめ也!!）

「いてえ！」

左の腕を噛まれたお兄さんは、右手でうめ也の首をつかみ、必死で引きはなした。

首根っこをつかまれたままうめ也は、ところかまわずバリバリと爪で引っかいた。

「くそ！」

お兄さんはうめ也をこぶしで殴り、はね飛ばした。

「ぎゃん！」

悲鳴をあげてうめ也は路上に転がった。

「うめ也！」

やっと声が出て、アサギは叫んだ。ぼっと怒りに火がついた。

「うめ也に、なにするんだよーっ!!!」

アサギは、お兄さんの顔を目がけて、さげていたラベンダー色のサブバッグを投げつけた。バッグは、お兄さんの顔をかすめただけで当たらなかった。

それでも、お兄さんはすごくおどろいた顔でアサギを見た。

「ア、アリスちゃん、落ち着いて。ぼくはきみのたった一人の理解者なんだよ。ぼくを異世界へ連れていくのは、きみのためにもなるんだよ……」

うめ也がアサギの前に飛び出したかと思うと、

「ぎゃおう！」

と、虎のような顔つきで吠えた。

お兄さんは舌打ちして、うめ也に噛まれた腕をおさえた。

「チェシャねこくん、じゃまするのか……。しょうがないな、アリスちゃん、またここで会おうよ。今度は二人だけで話そうね」

そう言って、お兄さんは走って逃げていった。

「……うめ也？」

アサギは、地面にふんばって毛を逆立てているうめ也のわき腹が、赤く染まっているのに気がついた。

「うめ也！　ケガしてる！　すぐにお医者さんに行かなきゃ！」

抱きかかえようと手を伸ばすアサギを見上げて、うめ也は落ち着いた声で言った。

「ツキヨコンビニに行こう。獣医に行くより早く治せる」

「そ、そうなんだ。わかった」

「アサギ、それ。プレ会員カード、拾って」

うめ也が、お兄さんが落としていったカードをしっぽの先で指した。

「投げたバッグも忘れないで……。ぼくは歩けるから大丈夫。じゃ、いっしょに店に入ろう」

「うん！」

アサギはうめ也に言われたとおりにして、せーのでいっしょに空き地にふみこんだ。

「店長！　アサギさん！」

ツキヨコンビニの店内に入るなり、氷くんともちこちゃんが駆けよってきた。

「お二人とも、どうしたんですか！　ああー！　て、店長、血が！」

「たいしたことない。救急箱、持ってきてくれ」

店の中は暖かく、やわらかな光が満ちていた。

イートインコーナーから、ばなにーさんが立ちあがり、壁に留まっていた土羅蔵さんが羽を広げ、飛んでくるのが見えた。

ほっとすると同時に、アサギは全身から力がぬけて、床に座りこんで、そのままなにもわからなくなった。

人外の人外によるアサギのための作戦

アサギが気がついたとき、うめ也がアサギの顔をのぞきこんでいた。

「あっ、うめ也、大丈夫?!」

「アサギ、大丈夫か?!」

二人の声が重なった。

「わたしは、平気だよ」

言いながらアサギは、体を起こした。

「ここに来たら、ほっとしちゃって、ヘナヘナになっただけだし」

「ぼくももう、すっかりよくなった。ここの薬はよく効くから」

なるほどエプロンをつけたうめ也の毛皮はつやつやときれいで、りっぱな体格のどこにもケガのあとは見えなかった。

うめ也はアサギが立つのに手をかした。

「話は聞いたけど、ひどいやつだな！」

ばなにーさんはバナナ皮のスーツを開けて顔を出し、かんかんに怒っていた。

「アサギさんの動画、かなり再生されてはいますが、合成動画だろうってコメントがいっぱいついてますね。本気にしてる人は多くない感じです！」

タブレットを見ていた氷くんが言った。

「とはいうものの、このまま拡散されたら、マズイですよね！　アサギさんのまわりに、ヘンなやつが寄ってくるかもしれない」

「もう、寄ってきてるよ。めちゃくちゃヘンだよ、あのお兄さん」

アサギは、ぶるっと体を震わせた。

「アリスちゃんとか、チェシャねことか、意味わかんないよ。あの人、どうかしてる！」

「……どうかしてるのはまちがいないですが、別の世界を行き来するアサギさんを『不思議の国のアリス』にたとえるのは、あながち、まちがいでもないかもですよ」

氷くんの横で、動画をながめていた土羅蔵さんが言った。

「アリスのモデルになった少女は、おそらくアサギさんのように、人外の世界に出入りしていたんじゃないかと思います。チェシャねこも、うめ也店長のようなねこ型妖怪でしょう。その少女にくわしい話を聞いたルイス・キャロルが、少女の体験談を物語のように描いたのではないかと推察します」

「『不思議の国のアリス』って、そんな話だったの？　今度読んでみよう！」

アサギは目を丸くした。

「アリスの物語は、作家が作った架空の話だってみんな思ってるからいいですけど、この動画はやっかいですね。なんとか削除しないと」

氷くんがうーんと首をかしげすぎて、ガクンと頭をずらし、あわてて元の位置にもどした。

「それだけじゃ、ダメだろ。そいつはずっとアサギにつきまとうんじゃないのか。それに、この場所が人外世界へのゲートになってるのにも気がついているっぽいしな」

ばなにーさんが腕組みして、渋い顔で言った。

「アサギのまわりの、怪しい気配には気がついてたんです。ぼくにもっと、妖力があればすぐにあいつを追いはらえていたかもしれないのに。修業が足りなくて」

うめ也がうなだれた。

「いや、うめ也店長。あなたはりっぱにアサギさんを守りましたよ」

土羅蔵さんが、うめ也の肩に手をそっと置いた。

「ありがとうございます。土羅蔵さん。でも、もし、彼がこの場所でうろついてはなれないようなら、ツキヨコンビニは、もうここで営業はできなくなるかもしれません」

「えっ。ツキヨコンビニ、ここからなくなるかもしれないの?!」

うめ也の言葉に、アサギは飛び上がった。

「そんなのダメだよ！　ヤダよ！　ごめん！　うめ也。わたしが悪いんだ。ツキヨコンビニに出入りするときは、もっと気をつけなくちゃいけなかったのに」

「アサギのせいじゃないよ。それは店長であるぼくの責任だ。それよりも、あいつが二度とアサギに近寄らないようにしなければ」

きりっとうめ也が天をあおいだ。

「そうだよ！　そいつをめちゃめちゃ怖がらせてやろうぜ。いっそここに連れこんじまったらどうだ？」

ばなにーさんが叫んだ。

「二度と、この場所に来ようとか、アサギさんに近寄ろうと思わないぐらい恐怖を味わわせてやるのですな。賛成です」

土羅蔵さんが、赤く目を光らせた。

「おれたちも」

「加勢するぜ！」

「ドーンとぶつかって」

「いっきに！」

「つぶしてやらあ！」

入り口に転がっていたトウロウ5さんたちが、威勢よく言った。

「あっ。みなさん、店内で人死には困ります！　営業停止になります！」

氷くんがあわてて、みんなを制した。

「命までは取りませんよ。そこは気をつけます」

土羅蔵さんが言った。

「みんなで作戦を立てましょう。わたしに案があります」


「じゃ、始めよう。アサギ、いい？」

うめ也がたずね、アサギはコクンとうなずいた。

氷くんが、アサギの前にタブレットを差し出した。

うさぎのお兄さん——動画をアップしてるチャンネル名は、『不思議の国のアリス』に出てくるキャラクターの名前を取ったらしく「三月のうさぎ」だった——の動画のコメント欄に、アサギは、ゆっくりと、まちがえないように、文字を入力した。

——うさぎのお兄さん、アリスです。今から、不思議の国に案内しますから、あの場所に来てください。

人外たちがみんなで考えた、作戦の始まりだ。まずアサギがうさぎのお兄さんを呼び出す。

コメントを入れてしまうと、みんなだまって、その反応を待った。

ここで返事が来ないと、作戦は進められない。

みんなタブレットを取りかこみ、じっとコメント欄を見つめている。そのほんの短い時間が、すごく長く感じた。

返信があった。

――わかった！　すぐに行くから、待ってて！

「ようし！　かかった！」

うめ也が魚釣りのポーズで叫んだ。

「じゃあ、みなさん、よろしくおねがいいたします！」

うめ也が頭を下げると、

「まかせな」「承知しましたあ！」「よっしゃー！」「いくぜ！」

それぞれが、声を上げた。

「じゃ、わたし、店の前でお兄さんを待ってればいいよね？　でも、お兄さんもいっしょにここに入ってこられるの？」

たずねたアサギに、うめ也がぶんぶん、横に頭を振った。

「アサギは行かないで！　もちこちゃんに頼む！」

「ええ?!」

アサギは振り返って、目を丸くした。もう一人のアサギが立っていた。丸っこい目にやや太い眉、ぱつんとそろえた前髪、サイズ大きめのお気に入りパーカーに、かかとにこすれたあとのあるミントグリーンのスニーカーまで、鏡に映したようにそっくり同じだった。

「ええ？　もちこちゃん……なの？」

アサギがたずねると、もう一人のアサギはこっくんとうなずいて、右手の先だけスライムにもどして、ゆるく振った。

「わわ。もちこちゃん、スゴイね！」

「もちこちゃんのそっくり造形力はスゴイんですよ。まず、本物のアサギさんじゃないとは見破れないでしょうね」

得意げに氷くんが説明した。

「言葉を話せないのが、ちょっと心配だけど、うまくやってくれるだろう。もちこちゃん頼む」

うめ也の言葉に、もちこちゃんがガッツポーズで応えた。

「がんばって！」

もちこちゃんは、うなずいて、自動ドアの前に立った。

ドアが開くと、外が見えた。

住宅街の道で、うさぎワッペンの黒いジャケットを着たお兄さんが、スマホを見ながら立っていた。

（来てる！）

アサギは、叫びそうになるのを、こらえた。

もちこちゃんが出ると同時に自動ドアが閉まった。

とたんに外の景色が、すりガラスを通したみたいに、ぼやけた。

（もちこちゃん、大丈夫かな）

アサギはドアに張りついて、もやもやと動く人影を、息をのんで見つめた。

うめ也、大化けねこになる

人影はしばらく動かずにいたが、やがてこちらに向かってやってきた。

「こっちに来る！」

アサギが叫ぶやいなや、うめ也がアサギをかつぎあげるように、ひょいと抱きかかえた。

「う、うめ也？」

「危ないからアサギはかくれてるんだ。あとはぼくらにまかせて」

うめ也は、アサギをカウンターの内側に連れていくと、押しこむように低く頭を押さえた。

「顔も出しちゃダメだぞ。見ない方がいいから」

「店長！　二人が入ってきます！」

氷くんが叫んだ。

「暗くして！」

うめ也が指示し、自動ドアが開く前に、ふっと店内が闇に包まれた。

アサギはカウンターの下にかがんで、もちこちゃんたちが、入ってくる足音を聞いた。

「……うわ、真っ暗！　ここが異世界なんだ！」

うさぎのお兄さんが、つぶやいた。

「なんも見えないんだけど。しょうがないなあ」

アサギは、片目だけカウンターから出してようすを見た。お兄さんがスマホの明かりであたりを照らしていた。

「ここ、なんかごちゃごちゃしてない？　ねー、アリスちゃん！　先に行かないでよ！」

お兄さんは、アサギの――本当はもちこちゃんの――腕をつかんだ。

とたんにぬるん、とアサギの姿が流れるように溶けだした。

「あ、アリスちゃん！　うわ、うわ！　どろどろ！　きっしょ！」

お兄さんはもちこちゃんをつかんでいた手をはなして、自分の服にこすりつけた。

そのとたん、バサッバサッと羽音が重なって響いてきた。

お兄さんが顔を上げた瞬間(しゅんかん)、灰色(はいいろ)のコウモリの集団(しゅうだん)がお兄さん目がけて飛(と)んできた。

どのコウモリも不気味(ぶきみ)に赤く目を光らせてはいるが、品のいい老人(ろうじん)の顔をしている。

(うわあ、土羅蔵(どらくら)さんの分身術(ぶんしんじゅつ)、スゴイ！　あれ、百匹(ぴき)はいるんじゃないの?!)

コウモリたちはバチバチと、つばさでお兄さんの顔や頭を思いきりたたいて、通りすぎた。

「わっぷ、いて、いて、わ、わ」

お兄さんが頭を抱(かか)えてしゃがみこみ、横にあったごつごつしたものに寄(よ)りかかった。そしてそれが石灯籠(いしどうろう)だと気がついて、きょとんとした。

「建物(たてもの)の中に入った感じだったけど、あれ？　ここ、外？　どっかの庭？」

そう言って天をあおいだとたん、巨大(きょだい)な赤い目とばちんと目が合った。

「ぎゃ！」

お兄さんは悲鳴を上げて飛(と)び上がり、石灯籠(いしどうろう)に背中(せなか)をぶつけた。

すると石灯籠(いしどうろう)がゴゴゴと音を立てて五つに分かれた。

「よお」「いらっしゃい」「地獄(じごく)へ」「よく来た」「ゆっくりしていきな」

石たちが口々(くちぐち)に言い、

「「「「ゴハゴハゴハハ」」」」

地の底がゆれるような重低音で、そろって笑い声を上げた。

「え、え、ここって地獄なの？」

お兄さんが思わずつぶやいたのに、

「そうかもな」

凜とした声が答えた。

お兄さんの足元から、すいっとうめ也が現れた。

（うめ也！　なんでねこのまま？　妖怪ぽく怖がらせなきゃいけないのに大丈夫なの？）

アサギが床をはって、急いでカウンターの出入り口まで行こうとしたら、バラバラッと
なにかが頭の上に落ちてきた。

（わ、なにこれ）

手探りで、散らばったものをつかんでよく見ると、色とりどりのトッピングパウダーの
小袋だった。どうやらパウダーの在庫の入った箱を引っくり返してしまったらしい。

「なーんだ、お前、さっきのねこちゃんじゃん！」

お兄さんの、半笑いの声が響いた。

アサギはカウンターの出入り用スイングドアの裏にはいつくばった。スイングドアの下のすきまから、向かい合う二人のようすがよく見えた。

「あの子に、もうつきまとうな」

「さすがチェシャねこ！　人間の言葉、上手じゃん！」

お兄さんがおどけたポーズで言った。

「……つきまとうなって言ってるんだ。それに、動画も消せ。さもないと」

「さもないと、なに？　また噛みつくの？」

お兄さんが薄笑いで言った。

「いや、食う」

うめ也の体がむくむくと、雲のようにふくれあがった。

「ぐあおう」

うめ也が吠えた。

（ひえっ!!）

アサギは、もうちょっとで叫び声を上げるところだった。

天井を突き破りそうに大きくなったうめ也は「化けねこ」そのものだった。

スイカのような目玉はビカビカと金色に光り、どろどろとうごめく黒い雲を引きつれている。二つに分かれた長い尾は、二匹の龍のように宙をおどり、不機嫌そうにバチンバチンと床や壁を打っていた。

(あ、あんな姿になれるの？　妖力が足りないとか言ってたけど……うめ也、大化けねこじゃん！　知らなかった……)

「おまえはマズそうだが、しかたない。生かしておけないからな」

うめ也はあんぐりと口を開けた。口の中は血をすったように真っ赤で、むきだしになった牙は剣のように鋭かった。

「わ、わ、ちょっと、ちょっと、かんべん！」

お兄さんは床にくずおれて、後ろにずりずりと逃げた。

「やめてよ！　言うこときくからさあ！」

うめ也は牙をいったん引っこめて、ぎろりと相手を見すえた。

「もう一度言う。あの子に二度とつきまとうな。あの子の映った動画を今すぐ全部消せ。それから」

「それから、ここであったことをだれにも言わないこと」

天井からの、玉兎さんの声が続きを言った。

「それ、約束したら、助けてくれんの？」

「ああ」

うめ也がうなずいた。

「約束しますか？」

玉兎さんが聞いた。

「するする。約束する!!」

お兄さんが、ぴょんと立ち上がると、動画を次々削除した。

「……他の約束も破ったら、今度こそ食うからな。いつもおまえを見てるぞ」

「わかった！　めっちゃ、気をつけるよ！　これから、ねこを見たら親切にするよ！」

お兄さんは、ぶんぶんと高速で頭を上下に振った。

（作戦、成功したかも！）

息をつめて見ていたアサギは、少しだけほっとした。うめ也もちょっと気がゆるんだのだろう、長い尾が二本ともすうっと下がった。

「じゃ、オレ、帰っていいの？　いいんだよね？」

「さっさと出ていけ。出口はそっちだ」

うめ也が爪の先で指した方を見て、お兄さんが、へらっと笑った。

「けっこー、ここ、おもしろかったよ！　ありがとー！」

そう言って、入り口に向かった。自動ドアが、開きはじめたそのとき、

「帰しちゃダメです！　店長！」

氷くんが怒鳴りながら、飛び出してきた。

「そいつ、スマホで録画してます！」

そう言って、お兄さんの腰に飛びついた。

「わっ！」

お兄さんの手からスマホが飛んで床に落ち、二人はもつれあって、倒れこんだ。

アサギの攻撃（こうげき）！

「うわ、なんだ、こいつ！　はなせ！」

お兄さんは、氷（ひょう）くんの腕（うで）をつかんで引っぱった。

ブチッと両腕（りょううで）が取れた。

「げっ！」

お兄さんは、もげた腕（うで）を氷（ひょう）くんの顔にたたきつけた。氷（ひょう）くんは、うめいて仰向（あおむ）けに引っくり返った。

「もちこちゃん！　入り口をふさげ！」

うめ也（や）が叫（さけ）ぶと、もちこちゃんはびゅんとクモの巣（す）のように広がって、一瞬（いっしゅん）で自動ドアを封鎖（ふうさ）した。

お兄さんは、チェッと舌打ちした。そしてさっとスマホを拾い上げ、やみくもに店の中を走りだした。

「逃がさんぞ」

土羅蔵さんが、つばさを広げて舞い上がった。

「わ、コウモリじじい！　来んな！」

お兄さんは、土羅蔵さんに追いつめられて、ドシャンと飲み物の並ぶ冷蔵庫に背中をぶつけた。

「スマホをよこせ！」

うめ也が怒鳴った。

「いやだね、撮った映像を今すぐ、アップしてやる」

お兄さんが、引きつったような笑いを顔にうかべてスマホをいじりはじめた。

「おまえらのやったこと、みんな撮ったぞ！　今すぐ、アップして広めてやる！　ハハハ。ハハハ」

「こいつ！」

うめ也が目をむき、ぐぐと両手の爪をむき出しにし、かあっと牙を出した。

「て、店長、店内での人死には……」

氷くんが震え声で、今にも本当に食らいつきそうなうめ也を押しとどめたそのとき。

「待って！」

アサギは叫んで、うめ也とお兄さんの間に、割って入った。

「アサギ！　出てきちゃダメだ！　こっちへ！」

うめ也があわててアサギを抱えこもうとしたが、アサギは横に首を振った。そしてお兄さんの方に向きなおった。

「うさぎのお兄さん！」

「アリスちゃん！　さ、さっき溶けたんじゃないの？」

「あれはニセモノ。わたしが本物だよ」

アサギは、せいいっぱい、落ち着いたようすで言った。固く握りこんだ手が、ふるふると震えているのが相手に見えないように、腰の後ろに回した。

「うさぎのお兄さん、動画をアップするなら、わたしといっしょに映ってるとこも入れた方がいいんじゃないの？」

「……え？　いいの？」

「うん、だって世界で一番有名になれるかもなんでしょ？　そうしようよ」

ゴクリと、お兄さんがつばを飲んだ。

「アリスちゃん！　わかってくれたんだね！」

お兄さんの目尻が、とろんと下がった。

「じゃ、撮ろうよ。うめ也もみんなもじゃましないでね」

アサギはそう言って、お兄さんの横に並んで立った。

「よーし、録画するよ！」

お兄さんはウキウキと、スマホのインカメラに、自分とアサギを映した。

「アリスちゃんです！　異世界に連れてきてくれました！」

お兄さんが実況を始めたと同時に、アサギはずっと握りしめていた、手の中のものをぱっとお兄さんの顔にあびせた。

黒い粉を顔中にかけられ、お兄さんは「わっぷ」とのけぞった。

「アリスちゃん、なに？　これ？　イタズラっ子だなあ、もう」

お兄さんがケホケホと咳きこみながら、手で顔をぬぐった。

アサギは、よろけながら、うめ也のもとに駆けもどった。

「アサギ、いったい、なにしたんだ！」

アサギを自分の後ろにかくしながら、うめ也が聞いた。

「トリハダ・トッピングパウダーの黒をかけたの!!!　カウンターの裏に在庫があったんだ！」

「え、トリハダ・トッピングパウダーの黒を？　じゃあ……」

うめ也がお兄さんを見た。

「……うわ、なんだ、頭が。ぐるぐるする……うお、寒い」

お兄さんは、スマホを取りおとしたかと思うと、うなり声を上げてしゃがみこんだ。

「あのパウダー、なにを見ても自分がすごく恐れているものに見えるんでしょ？　あれ、かけたら、すっごく怖くなって、本気で約束守るかもって」

アサギがパンパンと手をはたきながら言った。

「そ、それはそうかもだけど、かけすぎたんじゃないか」

うつろな目でびくびくと体を震わせているお兄さんを見て、うめ也は顔をしかめた。

「うーん、これは人外の立てた作戦よりも、パンチのある攻撃かもですねえ。思いつかなかったなあ」

ちぎれた両腕を、もちこちゃんに手伝ってもらってはめこみながら、氷くんが言った。

「とにかくスマホを取ってしまおう」

うめ也は体を店長サイズにして、お兄さんにそっと近づき、床に転がっているスマホに手を伸ばした。

「わああ！」

お兄さんは飛び上がって、うめ也から後ずさりした。

「お父さん、ごめんなさい！　ごめんなさい！」

そう言って、顔をぐしゃぐしゃにして小さい子みたいに泣き叫んだ。

「お父さん、ごめんなさい、怒らせてごめんなさい。ぼくが悪いんです。うわああん」

（……このお兄さん……、お父さんのことが怖くてたまらないんだ……。なにかすごく、怖い思いをしたんだ）

アサギはパパのことは好きじゃない。ほとんど家にいなかったし、たまに帰ってきても、アサギがパパの思いどおりのことをしないと機嫌が悪くなるから、とても疲れる相手だった。ママにもぜんぜん優しくなかった。

（でも、怖くはなかったよ……。お兄さん、ここまで怖がるなんて）

お兄さんのことがほんのちょっとかわいそうになった、そのときだった。

「ううう。来るな。これ以上、お母さんをいじめるな」

お兄さんが、ゆらりと立ち上がり、アサギたちを恐ろしい目でにらみつけた。

「来るな！　来るな！　来るなああ！」

わめきながらお兄さんが棚に体当たりした。背の高い商品棚が、ぐらりとかたむいた。

「アサギ！」

うめ也が叫んだとき、棚はアサギの上におおいかぶさるように、倒れてきた。

「きゃあ！」

アサギは悲鳴を上げて、しゃがんだ。

ふわっとなにかが、アサギの上におおいかぶさった。

ひんやり、しっとりとした厚い布みたいなものが、アサギをくるんだ。

ガシャーン!!

アサギの上で、棚が倒れた音がしたが、アサギは重くも痛くもなかった。

「……？」

おそるおそる、布みたいなものから顔を出すと、店内に明かりがついていた。

「おい、大丈夫だったか？」

一番にアサギに声をかけてきたのは、うめ也ではなく、黄色いペンダントをした、つるんとした美肌美人、ばなにーさんだった。

「ばなにーさん！」

アサギは目をぱちぱちさせた。

黄色いバナナの皮のスーツを着ていないばなにーさんを見るのは初めてだった。ほっそりとした体に、淡い黄色のワンピースを着ている。束ねた同じ色の髪は、よく見ると腰のあたりまでの長さがあり、キラキラと波打っていた。

まばゆいような美しさに、アサギは思わず見とれてしまった。

「どこも痛くないか？」

「うん。この毛布みたいなのが、分厚くて、ぜんぜんどこも痛くない……あっ！」

アサギは、自分が黄色いバナナの皮をかぶっているのに気がついた。

「ハハハ、そいつはよかった。その皮は、どんな衝撃も吸収するからな」

ばなにーさんは、バナナの皮のファスナーを大きく開けて、アサギを引っぱり出した。

「アサギ、ケガがなくてよかった」

うめ也はふうーっと大きく息を吐き、片足でお兄さんを強く床に押さえつけた。

お兄さんは、じたばたと身もだえして、また泣きだした。

「そいつ、包もうか」

ばなにーさんが、うめ也に聞いた。

「おねがいします」

ばなにーさんはうん、とうなずくと、アサギがぬいだばかりのバナナの皮をつかんで、お兄さんにバサリと投げつけた。

バナナの皮は、すぽんとお兄さんを頭から飲みこんだ。お兄さんはバナナの皮の中で暴れているようだったが、皮はびくともしない。

うめ也はそれを、軽々と肩にかつぎあげると、自動ドアを開き、外に放りなげて言った。

「二度と来るなよ！」

ドアが閉まる寸前、皮だけがしゅんっと店内にもどってきて、ばなにーさんの体をすぽんと包んだ。

「ばなにーさん、ありがとう！　その皮のスーツ、すごいね！」

「そうだろ、そうだろ！」

得意そうに、ばなにーさんが胸を張った。

「それに中身のばなにーさん、めっちゃスタイルいいし、オシャレでカッコいい！」

「そうだろ、そうだろ!!」

「店長、これ、取っときましたけど、どうしましょう？」

氷くんが、お兄さんのスマホをうめ也に見せた。

「もちこちゃんにあげて。いい、おやつだよ」

うめ也が言い、氷くんはもちこちゃんの前にスマホを差し出した。

するともちこちゃんは、待ちかねたように触手でそれを受けとり、あーんと体の真ん中で丸く口を開けた。中に、サメみたいなギザギザした歯が、何重にも円形に並んでいた。

(うわ、もちこちゃん！　あんなすごい歯があるんだ！　そうか金属食べるんだもんね)

バリバリとスマホをおいしそうに嚙みくだくと、もちこちゃんの体は、一瞬、ピカッと明るく輝いた。

「もちこちゃん、レアメタルが大好きなんだよね」

氷くんが言い、もちこちゃんは満足そうに頭を振った。

(……今度もちこちゃんに、ママが前使ってた、壊れたケータイをあげよう)

アサギはそう思いながら、「もちこちゃん、ごくろうさま」と声をかけた。

「やれやれ、これで一応作戦成功ですねえ」

土羅蔵さんが、腰をトントンとたたきながら、言った。

「ねえ、でも、あのお兄さん、大丈夫なの？」

アサギは心配になって聞いた。

「ああ、まあ、あのようすじゃだれかに救急車を呼ばれるかもしれないけど、トリハダ・

トッピングパウダーの効力は、いずれ消えるさ」

うめ也が答えた。

「そっちも気になるけど……。本当にちゃんと約束守ってくれるかな。また、ここに来たりしないかな」

「大丈夫ですよ」

うめ也がなにか言う前に、玉兎さんが答えた。

「念のため、約束したとき、彼に月刻の術をかけておきましたから」

「ゲッコクの術？　って？」

「約束したことを頭に刻みつける術です。アサギさんに二度とつきまとわないこと。アサギさんの映った動画を消すこと。ここであったことをだれにも伝えないこと。この三つが頭から常に消えないようにしました。彼がもしこれを破ろうとしたら……」

「破ろうとしたら？」

「……すごくイヤな目にあいますから、結局破れないんです」

玉兎さんはそう言って、ふふっと微笑んだ。

「……えーと、その術がかかってたんだったら、あいつ、ここで撮った映像のアップも、できなかったってこと？　ぼく、腕が取れるほど、必死であいつをつかまえなくてもよかったんだ……」

氷くんが自分の腕をさすりながら、がっかりしたように言った。

「いや、彼がアップできなくても、だれかが彼のスマホをさわったりしたら、映像を見られたかもしれない。それを氷くんのおかげでふせげたんだ。いち早く気がつき行動してくれて、ありがとう」

うめ也が言い、氷くんはへへっと灰色の歯を見せて笑った。

「うめ也店長の言うとおりです。それにほかのみなさんも、ご協力、ありがとうございました。みなさんのお力で、このツキヨコンビニも、大事な会員さまのアサギさんも守られました。では、わたしはこのへんで。社長に報告をしなければいけませんので」

玉兎さんがいなくなり、青白く輝く月が、めくれあがった天井の向こうに現れた。

あのときの子ねこは

その日。

うめ也はいいと言ったのだが、アサギはお客さまたちを見送った後、店の後片づけを手伝い、閉店まで店にいた。

疲れ切った顔で帰ってきたアサギとうめ也を見て、ガレージの籐の長いすでラジオを聞いていた大家さんはおどろいて立ち上がった。

「あらら！　どうしたの？　アサギちゃん、24時間寝ないで働いたみたいな顔よ」

アサギは、学校ですごくむずかしいテストがあって、そのために夕べ遅くまで勉強したから、と言い訳した。

「それは大変だったわねえ。うめ也さんもいっしょに、寝ないで勉強してたの？」

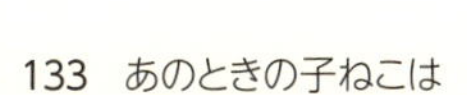

アサギの腕の中でぐったりとしているうめ也をのぞきこんで、大家さんが、笑いながら言った。

アサギは、あいまいな顔で半分笑った。もう大家さんの冗談にこたえる力も残っていない。

「お母さん、まだお仕事中でしょう。ここで、ホットミルクを飲んでいったら？」

「え、ここでですか？」

「ええ、ここで暮らせるかもってぐらい、このガレージには一通りのものはそろってるの。座って待ってて」

アサギはうめ也を長いすに寝かせると、ランドセルを下ろし、うめ也のとなりに座った。

長いすのわきのシェードランプが、薄暗いガレージの中を淡いオレンジ色の光で照らしている。

大家さんは、観葉植物をかきわけ、ガレージの奥でガサゴソやっていたかと思うと、牛乳パックと小さなべとマグカップを手にもどってきた。

「すみっこに冷蔵庫と食器棚があるのよ」

そう言って、卓上の電磁調理器で牛乳を温めると、ハート柄のマグカップに注いでアサギの前に置いた。

「お砂糖入れる？」

「はい……」

あったかくて甘いホットミルクが、するするとアサギの体の中に溶けていった。

（おいしい……）

夢中になって、ミルクを飲んだ。

この世の食べ物は重さがあって、どっしりと体にたまる気がするなと、アサギは思った。

ツキヨコンビニの食べ物はおいしいし、おなかもそれなりにふくれるけど、体に残らない感じだ。

「うめ也さんもミルクあげましょうね。小さい器があったはずなんだけど……」

アサギの意識から大家さんの声がふっととぎれた。アサギは空になったマグカップを握ったまま長いすに倒れこみ、うめ也に顔をうずめて寝てしまったのだった。


翌朝は、早くに目が覚めた。

昨日はガレージの長いすで、寝入りこんでしまった。帰ってきたママに起こされるまで、アサギもうめ也も目が開かなかった。ずっとそばにいてくれた大家さんにお礼を言って部屋にもどったものの、ご飯を食べるのもそこそこに、またすぐに寝たのだ。

「うめ也……」

ベッドの足元で丸くなっているうめ也に声をかけようとして、やめた。

(まだ疲れてるんだよね)

アサギは、ふあーっとのびをして思った。

(話はツキヨコンビニでしたらいいや)

今日も、学校の帰りにツキヨコンビニに行くつもりだ。きっと昨日の話ですごく盛り上がるだろう。ばなにーさんや土羅蔵さん、トウロウ5さんにも会えたらいいな。

そんなことを考えながら、授業が終わるのをひたすら待った。

学校から、ツキヨコンビニに向かう道は、ちょっとドキドキした。

(だれも、……ついてきてないよね？)

一応まわりのようすをうかがって、本当の本当にだれもいないのを確かめてから、いつもの空き地に飛びこんだ。

「あ、アサギさん！」

氷くんともちこちゃんが、駆けよってきた。

「あれ？　まだ開店してないの？」

イートインコーナーでランドセルとサブバッグを置いて、アサギは首をかしげた。

妙に店内が薄暗くて静かだ。

「今日は臨時休業になるみたいです。昨日のことが影響しちゃって」

「え、片づけはすんだんじゃないの？」

「破損した商品を調べて報告とか、まあ、いろいろあるんで。それとうめ也店長が……」

氷くんが、ひそひそ声になった。

「さっきからなんか……深刻な感じで。こっち来てください」

氷くんが手招きするので、カウンターの中に入った。バックヤードのキッチンのとなりの控室に、エプロン姿のうめ也の丸めた背中が見えた。

「……会社にも損失を……申し訳ありません……」

低い声でだれかと話している。

「うめ也、だれと話してるの？」

「玉兎さんですよ」

「えっ！　玉兎さんが、ここに入れるの？　あ、そうか、妖怪だから大きくなるのも小さくなるのも思いのままなんだ！　それかもちこちゃんみたいに姿を変えられるとか？」

「いや、玉兎さん、基本、姿を変えないんで、オンラインの対話です」

「へえ、そうなんだ」

控室をのぞきこむと、うめ也は、テーブルに置いたパソコンのモニターに映る玉兎さんと向かい合っていた。

「……すべてぼくの責任です。だから、この店はなくさないでください。多くのお客さまに愛されています。従業員も優秀です。ぼくのかわりに、しっかりした店長さえ来れば、大丈夫ですから」

アサギと氷くんは、顔を見合わせた。

もちこちゃんもおどろいたのか、かすかにピーンと、電子音ぽい声を上げた。

店長
うめ也

「……この仕事は好きです。お客さまに喜んでいただけるのは、うれしいですし、妖怪としての修業にもなるし。でも、ぼくの力不足でアサギを危険にさらし、従業員を大変な目にあわせ、お客さまにも迷惑をかけてしまって。とても、このまま店にいられません。辞めさせてください」

「本当に辞めたいんですか？」

玉兎さんが、冷静にたずねた。

「はい。ぼくはいつだってダメなんです。何回ねこに生まれても、すぐに死んで人を悲しませてばかりで」

(何回ねこに生まれても？　すぐに死んで……？)

アサギは、初めてうめ也の口から聞くその過去に、ドキンとした。

「七回も生まれ変わったけどダメで。妖怪になる決心をしました。妖怪になったら、もうかんたんに死なないし、強くなって、今度こそ大事な人を……守れると思ってました。でも、やっぱり、ダメなようです」

うめ也はひたいを押さえて、うつむいた。

（七回も生まれ変わった……けどダメだったって、八回目もまたすぐに死んじゃったってこと？）

もやもやが、アサギの心の中に広がった。

アサギの中に、ふだんあまり開けないようにしている、思い出の白い箱があった。

そこにはできれば思い出したくない、胸の痛むことがひっそりとつめこまれている。その箱のふたが、開きかけている。

そしてなにかが現れ、今にも形になろうとしていた。

煙のようなもやが、だんだん、生き物の姿になって浮かんできた。

「だれも人に会わない場所で……ひっそり妖怪の修業をします」

（しろい、しろいねこ。うめのはな。子ねこ）

頭の中のその箱が、ぱっと開いた。

同時に浮かんだのは、まっ白な風景だった。雪のつもる道で、白い子ねこが横たわっていた。

ママといっしょにしゃがんで、カチコチに固まってしまっている子ねこの体を見つめているのは、今よりずっと小さいアサギだ。

すーっと長く、アサギは息を吸いこんだ。

（思い出した！）

アサギは控室に飛びこんだ。

（思い出した！　思い出した！　思い出した！）

「うめ也！　ダメ！　どこにも行っちゃダメ！」

うめ也の背中に怒鳴った。

「アサギ！」

うめ也が、立ち上がって振り返った。

「わかった、わかったよ、うめ也！　思い出した！」

アサギは叫びつづけた。

「やっと会えたのに、どこかに行っちゃうなんてダメだよ！　だって約束したじゃん！」

そう、約束したのだ。

うめ也がまだ、うめ也でなかったころ。

うめ也が、風に飛ばされそうな薄っぺらい体の、子ねこだったときに。

雪の降る、寒い朝に。凍った道に横たわり、息も絶えていたそのときに。

（ごめんね、なにもできなくて）

そのときのアサギは、胸が、切りさかれたように痛かった。

その子のことを、なんとかしてあげたかった。だれかに捨てられたのか、はじめから野良ねこだったのかはわからないけど、その子はアサギの家の近くを、さまよっていた。

ねこを飼うことは、言い出せなかった。

パパが動物の毛のアレルギーだったし、おばあちゃんは、家が汚れたり散らかったりするのが、大嫌いな人だった。

それでも、だんだんやせて汚れていく子ねこの姿にがまんできなくなって、おそるおそるママにねこを助けたいと話した。

じゃあ、今日はもう遅いから明日の朝、ねこのようすを見に行こう、と、ママは言った。

そして、ねこを保護して飼い主をさがしてくれる人たちがいるから、その人たちに連絡してみよう、とも言ってくれた。

ママの言葉に、アサギはほっとした。もうそれだけで、ねこの飼い主が見つかったような気になって、ほっとしすぎてしまった。

（もっと早く、ママに話してたら。一日でも早く話してたら、あの子は死なずにすんだかもしれない）（あの日、あんなに寒くなければ）（あとで怒られたって、あの晩だけでも、こっそり物置きに入れてやっていたら）

朝には、子ねこは家の前の道で冷たくなっていた。

ママといっしょに子ねこをガーゼのタオルで包み、お菓子の空き箱に入れた。かつおのけずりぶしの小袋も入れた。

そして動物霊園のあるお寺に行った。そのお寺に行く途中、ママは子ねこの足の小さな肉球を見て、かわいいね、とつぶやいた。

「梅の花みたいだね」

とママが言い、アサギは泣きながらうなずいた。

「本当だ。梅の花みたいだね……」

アサギは、心の中でねこに約束した。

（また生まれてくる？　くるよね？　また会えるかな？　会えるよね？　ぜったいまた会おうね。約束だよ！）

「うめ也、あのときの約束、覚えてたんだよね。だから、うちに来たんだよね？」

「……うん」

うめ也がうなだれた。

「でも飼いねこになるつもりじゃなかったんだ……。ぼくのことを、思い出してくれたらいいなと思って……一応、おでこに梅の花のもようをつけておいたんだけど……」

うめ也は恥ずかしそうに、自分のひたいをパフッと押さえた。

「すぐに、思い出せなくてごめんね」

アサギは、涙が出そうになるのを、こらえて言った。

（ここで泣いちゃダメだ。本当につらかったのはうめ也なんだから）

「でも、あの子を忘れてたんじゃないよ。あの子を飼えなかった分、うめ也のこと大事にしようと思ってた」

「……うん。それはいいんだ、でも……」

うめ也の声が小さくなった。

「妖怪になったのは、もうだれも悲しませたくなかったからなんだ。妖怪ならかんたんに死んだりしないし。でも……このままだと怖い思いをさせる」

うめ也はそっと、アサギの手を両手でやわらかくはさんだ。

「妖怪が飼いねこになっちゃったのが、まちがいだったんだ。やっぱりぼくはここをはなれて、一人でどこかへ行くよ」

うめ也は、ぷるぷるとひげを震わせて、言った。

「うめ也！　そんなの！」

アサギが言うのをさえぎって、玉兎さんの声が響いた。

「そのお話、ちょっと待ってください！」

「「え？」」

うめ也とアサギは手を取り合ったまま、モニターを見た。

社長の決定

「社長にうめ也さんの希望を伝えましたところ、考え直していただきたいそうです」

玉兎さんが、言った。

「ど、どうしてですか？」

うめ也がモニターに向かって、叫んだ。

「社長からの伝言です。『うめ也さんはまだこの店の店長として、妖怪として、修業を積み、スキルアップに励んでほしい』とのことです」

「え、でも、ぼくは、その」

とまどううめ也に、玉兎さんがつけくわえた。

「それだけ、社長はうめ也さんのことを買ってらっしゃるんですよ。うめ也さんが店長になってから、この店は評判がいいです」

「そうですよ！　うめ也店長！」

控室の入り口で、ずっと話を聞いていた氷くんが、声を上げた。

「ぼくも、それにきっともちこちゃんも、うめ也店長が店長じゃなかったら、ここでこんなに楽しく働けてないです！　それに、アサギさん、うめ也店長がいなくなったって、ツキヨコンビニに来ちゃいますよ！」

はっと、うめ也がアサギを見た。

「そのとおりだよ。わたし、毎日この店に来るからね。だれにも止められないからね！」

アサギも、腰に手を当てて言った。

「そのときにまたなにかあったら……うめ也店長がいなかったら、アサギさんや、店を守る自信ありません！」

言いつのった氷くんに、そうだそうだ！　と言うように、もちこちゃんは触手を何本も振りあげた。

「アサギはぼくが店を辞めても、ツキヨコンビニのプレ会員のままなんですか？　店長の飼い主じゃなくなっても、アサギが出入りできるのはおかしいです！」

うめ也は必死で玉兎さんに言った。

「社長に！　社長に聞いてみてください」

「それも、社長に聞きましたところ」

玉兎さんが、コホッと軽く咳をして続けた。

「アサギさんには、正式な会員カードをおわたしするそうです」

「え！　ほんとに?!」

アサギはうめ也を押しのけて、パソコンモニターの玉兎さんに顔を寄せた。玉兎さんはしっかり、うなずいた。

「アサギさんは、人間ではありますが、人外のことをよく理解して、この店をおおいに盛り立ててくださっています。ですから、特別に会員になっていただきたいということです」

「わたしが会員に……」

アサギは、ポケットからプレ会員カードを引っぱり出した。

銀色のカードは、アサギの手の中でふるふるっとゆれた。そしてキラキラと細かい光のつぶをはなったかと思うと、端(はし)から金色になった。

「わ、正会員のカードに進化した！」

氷(ひょう)くんともちこちゃんが、拍手(はくしゅ)した。

「アサギさん、これでカードにためたジンガイペイでお買い物もできますよ！」

「ジンガイペイって？」

「人外(じんがい)の電子マネーでJペイとも言います。ジンガイ現金(げんきん)でもお買い物はできますが、Jペイだとカードにポイントも溜(た)まりますし、便利(べんり)ですよ！」

「カードには、フードメニュー考案(こうあん)のギャラとして、些少(さしょう)ですがJペイを入れさせていただいております。お買い物などにお使いください」

玉兎(ぎょくと)さんの言葉に、アサギはわあ！　と声を上げた。

「玉兎(ぎょくと)さん、ありがとうございます!!」

「わたしはなにも。お礼なら、社長に言ってくださいませ」

「じゃ、社長さんに伝(つた)えてください！　わたし、このお店、大好(だいす)き。ここに来ると楽しくてめちゃ元気になるんです。会員にしてくれて、ありがとうございます！」

「はい、そのお言葉、お伝えします」

玉兎さんが、しっかりとうなずいた。

「では、ミーティングはここまで。うめ也店長、片づけが終わったら、開店してくださいね。お客さまがお待ちかねのようですから」

玉兎さんに言われて、うめ也は自動ドアの方を見た。ドアのむこうでおおぜいの影がうごめいているのが見えた。

「あ、お客さまたちが、待ってらっしゃる！　うめ也店長！　どうしましょう？」

氷くんがたずねた。うめ也は、腕組みしてなにか考えていたが、玉兎さんに言った。

「確認ですが……アサギも人間とはいえ正会員ですから、会員規約を守ってもらうってことでいいですね？」

「ええ、それでいいですよ」

「わかりました。では、今から開店します」

玉兎さんがモニターから消え、うめ也は、きりっとエプロンのひもを締めなおした。

「氷くん、もちこちゃん、ドアを開けて、お客さまをお迎えして」

「はいい！」

「おおー！　やっと開店したー！」

ドアが開くと同時に、先頭にいたばなにーさんが声を上げながら入ってきた。

つばさをひろげた土羅蔵さんが、ばなにーさんを上から追いこして店内に飛んでくると、いち早くイートインコーナーの壁に留まった。

「今日はお休みなのかと思ってましたけど、……無事に開いてよかったです」

「おう」「おう」「おう」「来たぜ」「来てやったぜ」

トウロウ5さんたちが少し遅れて、勢いよく転がってきた。

「「いらっしゃいませ」」

うめ也店長と氷くんが声をそろえた。

「ばなにーさん！　土羅蔵さん！　トウロウ5さん!!」

アサギも大きな声で、呼びかけた。

「おおー、アサギー。もう来てたのか！」

「お顔の色つやが、昨日よりもよろしい。アサギさんは、やはり剛毅でいいですな」

「あのね。わたし、ここの会員になったんだ!!」

アサギは金色のカードを取り出して見せた。

おー！　と、人外たちが歓声を上げた。

「社長さんからＪペイも、もらったんだよ！　買い物もできるんだって！」

「それはすばらしい」

「よいことです」

「そいつは」「めでてえ」「社長も」「イキなはからい」「するじゃねえか」

「さっそく、これでスイーツ買っちゃおう！　みんなでスイーツパーティとかどう？」

高々と金のカードをかかげたアサギの腕を、ぐっとだれかが握った。

うめ也だった。

「アサギ、今日はここまで。まずは家で宿題をすませないとね」

「えー！　そんなあ。せっかくみんなと会ったんだし！」

「ダメ。アサギはほうっておいたら、ずーっとここにいるだろ？　帰ってもくたびれて寝てしまって、勉強をぜんぜんしてないじゃないか」

うめ也に痛いところをつかれて、うぐっ、と声をつまらせてアサギはだまった。

「それにすぐにＪペイを使おうとしすぎ。そんなことじゃ、あっというまにすっからかんだ。なにが要るか、よーく考えて買い物すること」

「……じゃあ、今はパーティはしない。でも、ほら、ポテトフライぐらいはいいんじゃない？　今度こそ、妖虫の入ってないちゃんとしたポテト、食べたいし……」

ちらっと上目使いで、うめ也を見た。

「おねがい！　ほら、うめ也のご飯も家で、かつおぶし、多めにしてあげるからさあ」

うめ也は、一瞬迷った顔をしたが、すぐに頭を横に振った。

「やっぱりダメ」

うめ也はアサギをわきに抱えて歩きだした。

「お客さま、お引き取りを」

「お客を無理に帰すなんて、店長がこんなことしていいの？」

アサギは手足をばたつかせて、叫んだ。

「店長が『このお客は店に居てはいけない』と判断した者は、退去させられる。正会員の規約にあるよ」

うめ也はカウンターの前を通りすぎ、「非常口」のプレートがかかったドアを押した。

「ご来店は、宿題をすませてからどうぞ。お客さま」

そう言って、にやっと笑ってアサギをドアの向こうに押し出した。そして、

「またのお越しをお待ちしております！」

と叫んで、ドアを閉めた。

「あっ」

アサギはペタンとしりもちをついた。

あたりを見回すと、アサギは、自分の部屋にいた。そして目の前には、クローゼットのドアがあった。

（え？　もどってきてる！　わたしの部屋とツキヨコンビニってつながってるの？）

まじまじとクローゼットのドアを見つめていたら、ぱっとドアが開いて氷くんが顔を出した。

「忘れ物ですよ！」

氷くんは、店に置いたままだった、アサギのランドセルとサブバッグを手わたした。

「あ、ありがとう」

アサギの顔の前で、パタンと、クローゼットのドアが閉まった。

（うめ也がいつも、いつのまにかこの部屋にもどってきているのは、この通路があったからなんだ！　すごい便利じゃん！）

アサギは、もう一度、ドアを開けた。

そこには、アサギの衣類の入ったケースが並んでいた。

ケースの上の、吊った服をかきわけて、奥の板を押してみたが、それはクローゼットの板でしかなかった。会員カードを手に、同じことをしてみたが、ドアは開かなかった。どうやら「非常口」は、正会員であっても好き勝手には入れないようだ。

（もう！　うめ也、きびしいんだから！）

ぶーっとふくれたけど、しかたない。

（いいもん。宿題をすませたら、すぐに表から行くから！）

アサギは握っていた金色のカードを、ほれぼれと見つめた。

（なんてきれいなカードなんだろ！）

すると、会員カードはその気持ちに応えるように、わずかに反って、キラキラとした光のつぶをはなった。

アサギはカードをスカートのポケットに入れると、布の上からポンとたたいた。

そして、くつをぬいでわきに置くと、ランドセルから計算ドリルとペンケースを大急ぎで取り出した。


一時間後。

クローゼットのドアがかすかに開いた。

「お疲れさまです！」

「お疲れさま！　また明日もよろしくね」

氷くんの声に応えながら、うめ也はするっとドアのすきまから出て、トンと床の上に前足から着地した。

「……やっぱりな」

うめ也はつぶやいた。

アサギは、開いたドリルの上に突っぷして、気持ちよさそうにいねむりしていた。

うめ也は勉強机に飛びのって、宿題の進み具合を見てみたが、答えの欄は、半分も埋まっていなかった。起こしてやろうかどうか、考えたが、やめた。アサギはきっと、なぜ早く起こしてくれなかったのかと叫んで、大騒ぎするだろう。

（まあいいさ。ママが帰ってきたら、起こしてくれるだろう）

家にもどると、どうも、いろいろめんどくさくなってしまうようだ。それに、すぐにねむくなる。うめ也はベッドに飛びのると、丸くなった。

「……う、う、うめ也あ」

かすれ声でアサギが言ったので、うん？　と顔を上げた。

しかしすぐに、それがねごとだとわかったので、うめ也は半笑いのまま目を閉じた。

つづく

令丈ヒロ子
れいじょう　ひろこ

作家。大阪府生まれ。嵯峨美術短期大学卒業。講談社児童文学新人賞に応募した作品が注目され、作家デビュー。おもな作品に「若おかみは小学生！」シリーズ、『パンプキン！ 模擬原爆の夏』『長浜高校水族館部！』『よみがえれ、マンモス！ 近畿大学マンモス復活プロジェクト』『病院図書館の青と空』（以上、講談社）、『妖怪コンビニで、バイトはじめました。』（あすなろ書房）がある。2018年、「若おかみは小学生！」シリーズがテレビアニメ化、劇場版アニメ化されて大きな話題になった。

妖怪コンビニ
店長はイケメンねこ！

2022年7月30日　初版発行

作者　令丈ヒロ子
画家　トミイマサコ
装丁　城所潤
発行者　山浦真一
発行所　あすなろ書房
〒162-0041 東京都新宿区早稲田鶴巻町551-4
電話 03-3203-3350（代表）
印刷所　佐久印刷所
製本所　ナショナル製本

ISBN978-4-7515-3131-0 NDC913 Printed in Japan